Familie und Gemeinde

Pfarrei heute

herausgegeben von
Hansmartin Lochner

Verlag Friedrich Pustet Regensburg

Dieter R. Tröndle

Familie und Gemeinde

Familienarbeit im Pfarrgemeinderat

Verlag Friedrich Pustet Regensburg

ISBN 3-7917-0330-7 (Gesamtreihe)
ISBN 3-7917-0347-1

Gesamtherstellung Hieronymus Mühlberger KG Augsburg
Umschlag Peter M. Loeffler Regensburg
Printed in Germany 1973

Inhalt

C FAMILIENHILFE – SOZIALE FAMILIENARBEIT

D FAMILIENPOLITIK

Anhang

Einführung

Die Erfahrung zeigt, daß sich in vielen Pfarrgemeinderäten Verantwortliche für den Sachbereich Ehe und Familie leichter finden lassen als für andere Aufgaben. Zugleich kann man feststellen, daß auch immer mehr Bistumsleitungen einen hauptamtlichen Referenten für dieses Aufgabengebiet anstellen.

Wenn so der Arbeit für Ehe und Familie von der Basis wie von amtlicher Seite her gleich große Bedeutung beigemessen wird, so mag das vielfältige Gründe haben, denen jedoch an dieser Stelle nicht im einzelnen nachgegangen werden kann. Sicher wird man sagen können, daß es nicht zuletzt die allgemeine Kritik und das verbreitete Unbehagen an der heutigen Situation von Ehe und Familie sind, die Reaktionen der Kirche auslösen — sieht die Kirche doch von alters her in der Familie eine »Keimzelle« des kirchlichen Lebens und erkennt in der Gegenwart mehr und mehr ihren Wert als Stabilisierungsfaktor für die Gemeinden. — Auf der anderen Seite spielt die Situation der Eheleute selbst, die ja einen überwiegenden Teil der Bevölkerung und damit auch der Kirchenglieder ausmachen, eine wichtige Rolle. Nicht wenige von ihnen spüren, wenn auch vielfach noch uneingestanden, ein Unvermögen, mit dem Partner und mit den Kindern so zu leben, wie es von Kirche und Öffentlichkeit als Ideal dargestellt wird.

Auf jeden Fall zeigt sich auf allen Ebenen das Bestreben, die Aufgaben der Kirche für Ehe und Familie besser zu erkennen und den Menschen entsprechende Dienste anzubieten. Hierzu möchte auch die vorliegende Handreichung ihren Beitrag leisten. Sie will, entsprechend der Grundausrichtung der Schriftenreihe »Pfarrei heute«, Anregungen und praktische Hilfen vermitteln. Angesprochen sind, neben Seelsorgern und hauptamtlichen Mitarbeitern, in erster Linie die Mitglieder der Pfarrgemeinderäte. Ihnen möchte der Verfasser aus seiner Erfahrung heraus zeigen, was im einzelnen getan werden kann, und Modelle vorstellen, die schon mit Erfolg erprobt wurden.

Was kann man von dieser Handreichung erwarten?

- Die zahlreichen Anregungen können dem Sachausschuß Ehe und Familie im Pfarrgemeinderat oder im Dekanat helfen, die Aufgaben zu erkennen, die sich ihm in seiner jeweiligen Situation stellen. Ein einzelner »Verantwortlicher« könnte vor der Fülle der Anregungen erschreckt resignieren. Wenn er aber einen, an den Erfordernissen der Gemeinde orientierten *»Aufgabenkatalog für die Zukunft«* zusammenstellt, erleichtert er sich und dem Pfarrgemeinderat die Auswahl der vordringlichsten Maßnahmen.
- Diese Aufgaben werden dann je nach zeitlichen und personellen Möglichkeiten in Angriff genommen. Darum empfiehlt es sich, dem Pfarrgemeinderat zugleich mit dem »Aufgabenkatalog für die Zukunft« auch schon eine *Zusammenstellung der vorrangigen Aufgaben* (wenn möglich mit genauen Zeit- und Personalangaben) zur Besprechung vorzulegen.
- Wenn es nicht so »perfekt« gemacht werden kann, besteht für den, der die grundsätzliche Bereitschaft zur Mitarbeit in der Gemeinde bzw. im Dekanat oder im Bezirk mitbringt, die Möglichkeit, den einen oder anderen hier vorgetragenen Gedanken aufzugreifen und sich zu dessen Verwirklichung anregen zu lassen.
- Als *Arbeitsmethode* empfiehlt sich ein schrittweises Vorgehen, wobei das vorliegende Bändchen besonders für die ersten drei Schritte hilfreich sein kann:

1. Beobachtung der Situation (Bedürfnisse)
2. Beurteilung (Analyse)
3. Ausarbeitung von praktischen Vorschlägen zur Vorlage im Pfarrgemeinderat (Planung)
4. Koordination bzw. Durchführung (Aktion)
5. Kontrolle und Auswertung (Kritik)

Ein Muster für solche Arbeitsplanung findet sich im Anhang, S. 64 ff.

Innerhalb des großen Sachgebietes Ehe und Familie lassen sich vier Teilbereiche unterscheiden, die natürlich nicht scharf voneinander getrennt, sondern vielfach miteinander verflochten sind. Für die praktische Arbeit hat sich die hier vorgeschlagene Einteilung jedoch bewährt.

Die nachfolgende Zusammenstellung mag dem »eiligen Leser« die Übersicht erleichtern.

Sachbereich **EHE und**

Bildungsbereich		**A**
Offene Arbeit	Familienkreise	Familiengruppen

Jugend-Seminare
(entfernte Ehevorbereitung)

Ehevorbereitungs-Seminare

Ehe- und Erziehungs-Seminare — Gruppenarbeit

Schwerpunkt-Seminare und Einzelveranstaltungen zu besonderen Themen:
z. B. Autorität — Sexualerziehung — »Glaubenlernen« — Vorschulerziehung u. ä.
(evtl. innerhalb eines Bildungswerks)

Werbung für überörtliche Veranstaltungen:
z. B. Weiterbildungskurse
Ehevorbereitungs-Seminare
Brautleutetage und -wochen

Werbung für Elternbriefe DU und WIR

Ehe- und Erziehungsliteratur in der Bücherei

Gesellige Veranstaltungen:
z. B. Tanzabende — Kinderfeste — Adventbasteln

Verantwortlich: Der »Familienbeauftragte« mit dem

FAMILIE in der Gemeinde

Spezielle Ehe- und Familien-Seelsorge **B**	Familien-Hilfe **C**	Familienpolitik **D**
Kinder- und Familien-gottesdienste Hausmessen Brautunterricht/ Traugespräche Taufgespräch Hinführung der Kinder zu den Sakramenten – Eucharistie – Buße – Firmung Sorge um bekenntnisverschiedene Braut- und Ehepaare (Gruppen) Einkehr-/ Besinnungs-Tage Werbung für Ehe bzw. Familien-exerzitien	Ehe- und Familienberatung Erziehungs-beratung Sozialdienste wie z. B. Nachbarschaftshilfe, Babysitter-dienst, Hausaufgaben-Betreuung u. ä. Familienerholung Müttererholung Kindererholung	Kindergarten Schule/Lehrzeit Ausbildungs-förderung Familiengerechter Wohnungsbau Kinderspiel- und Bolzplätze Kommunale Zuschüsse für die Ehe- und Familienarbeit freier Träger Meinungsbildung und Aktionen bei gesetzgeberischen Initiativen

Seelsorger und dem Vorsitzenden des Pfarrgemeinderates

A Ehe- und Familienbildung

1. Grundsätzliches

1.1. *Inhalte*

Der von der Arbeitsgemeinschaft für katholische Familienbildung e. V. (AKF) herausgegebenen »Familienbildungsplan« gliedert das Arbeitsgebiet in drei Bereiche:

1. *Ehevorbereitende Bildung*
   Eine »entfernte Ehevorbereitung« — eigentlich im Bereich der Jugendbildung angesiedelt — will unter anderem Partnerschaft und Konfliktfähigkeit einüben helfen. In der direkten Ehevorbereitung, die heute noch weitgehend ein »pastoraler Schnellkurs« ist, müßten neben den biologischen und theologischen Voraussetzungen immer mehr die anthropologisch-psychologischen Aspekte berücksichtigt werden.
2. *Ehebegleitende Bildung*
   Innerhalb der katholischen Erwachsenenbildung hat man schon immer besonderes Gewicht auf die Familienbildung gelegt. Dabei standen weitgehend Fragen der Erziehung und solche allgemeiner Art, bis hin zur politischen Bedeutung der Familie, im Vordergrund. Inzwischen hat sich aber die Erkenntnis durchgesetzt, daß auch die Situation der Ehepartner und ihre Beziehung zueinander stärkerer Beachtung bedarf.
3. *Elternbildung*
   Die Vorbereitung auf die Erziehungsaufgabe ist in unserer Gesellschaft bisher — gegenüber anderen Qualifikationen — eindeutig unterbewertet worden. Der Ausbau von *Eltern-Schulen* und anderen Einrichtungen der Elternbildung und -beratung ist dringend ge-

fordert. Die Voraussetzungen, diesen Aufgabenbereich erfolgreich anzugehen, wären in den Kirchengemeinden und den Bildungswerken in kirchlicher Trägerschaft zweifellos gegeben.

1.2. *Formen und Methoden*

Hinsichtlich der Formen und Methoden der Ehe- und Familienbildung haben sich drei Möglichkeiten herausgeschält. Alle drei haben jeweils ihre Vor- und Nachteile, mit denen wir uns noch auseinandersetzen werden.

- *Familiengruppen*
  4—6 Ehepaare treffen sich — meistens monatlich — abwechselnd in den Wohnungen zum Gespräch
- *Familienkreise*
  Bis zu 40 Personen (meistens Ehepaare) treffen sich etwa monatlich im Pfarrheim
- *Offene Bildungsarbeit*
  Einzelveranstaltungen (besondere Vortragsabende) — Veranstaltungsreihen — Seminare

1.3. *Zielgruppen*

Qualifizierte Bildungsarbeit muß sich an Zielgruppen wenden, innerhalb deren jeweils etwa gleiche Interessen und Bedürfnisse vorhanden sind.

Hier ein Vorschlag:

- Junge Leute (zwischen 14 und 20 bzw. bis zur Heirat), die noch ohne feste Partnerbeziehung sind, sich aber doch vielleicht schon Gedanken über Ehe und Familie machen, und junge Menschen, die schon an ein festes Zusammenleben denken bzw. sich darüber klar werden wollen, ob sie zusammenpassen (Vorbereitungsphase). Viele Eheberater sehen in der falschen Partnerwahl eine kaum mehr korrigierbare Ursache zermürbender Ehekonflikte.
- Ehepaare ohne Kinder (Heiratsphase).

- Ehepaare bzw. Eltern, deren Kinder noch nicht in die Schule gehen (Kleinkindphase).
- Ehepaare bzw. Eltern, deren Kinder in der Schule bzw. Ausbildung sind (Ausbildungsphase).
- Ehepaare, deren Kinder schon wieder aus dem Hause sind (Phase des »leeren Nests«).
- Menschen, die nach der Erziehungsaufgabe auch ihre Berufspflichten aufgegeben haben (»Rentnerphase«).

2. Familiengruppen und -Kreise

Am nachhaltigsten kann Familienarbeit in der Gemeinde durch Familiengruppen oder -kreise angeregt werden. (Natürlich gibt es auch Familiengruppen, die nicht an eine Pfarrgemeinde gebunden sind. Die folgende Darstellung bezieht sich jedoch weitgehend auf Gruppen und Kreise in den Pfarrgemeinden, weil diese öfters auch Ansatzpunkte sein können für Bemühungen im Pfarrgemeinderat.)
Diese Anregungen sollen allen, die eine Familiengruppe oder einen Familienkreis gründen oder einfach dort mittun wollen, kurze und knappe Antworten auf die wichtigsten Fragen geben.

2.1. *Was ist eine Familiengruppe — ein Familienkreis?*
— Über die verschiedenen Formen —

Die Familiengruppe
Man spricht heute viel von der großen Chance der kleinen Gruppe.
In den letzten Jahren finden sich immer häufiger — oft innerhalb der kirchlichen Gemeinden, oft aber auch unabhängig davon — Gruppen von vier bis sechs Ehepaaren zusammen.
Sie treffen sich regelmäßig — zum großen Teil monatlich — reihum in ihren *Wohnungen* zu Gesprächen.

Der Familienkreis

Wenn in einer Gemeinde mehrere Familiengruppen bestehen, treffen sich die Mitglieder dieser Gruppen von Zeit zu Zeit — meistens im *Pfarrheim* oder an einem anderen zentralen Ort — zum »Familienkreis«.
Diese Treffen bieten Gelegenheit, bestimmte Themen in einem größeren Kreis zu besprechen; dabei wird man in der Regel zur besseren Information der Teilnehmer einen Fachmann des entsprechenden Sachgebietes hinzuziehen (Seminare!).
Auch gesellige Veranstaltungen finden in diesem größeren Rahmen statt.
Familienkreise entstehen aber nicht nur als Zusammenschluß verschiedener Gruppen. In vielen Gemeinden bildet sich durch die Initiative interessierter Ehepaare zuerst ein Familienkreis. Auch die Verbände (Kolping, Werkvolk, Landvolk u. a.) arbeiten immer mehr in Familiengruppen und -kreisen.
Zu den monatlichen Zusammenkünften kommen bis zu 30 (oder mehr) Ehepaare. Der Familienkreis ist naturgemäß offener als die Familiengruppe. Der Teilnehmerkreis ist *nicht* so konstant.
Nach einiger Zeit kann dann das Bedürfnis, die Kontakte und Gesprächsmöglichkeiten intensiver zu gestalten, zur Bildung von Familiengruppen führen.

Es gibt viele Formen von Gesprächsgruppen

Wenn hier von Familienkreisen, Familiengruppen oder Familiengesprächsgruppen die Rede ist, muß jedoch gleich zu Anfang auf die Vielfalt der Formen hingewiesen werden.
Da es in keiner Weise um irgendeine neue Organisation geht, ist gerade diese »spontane Vielfalt« eine Chance für die Kirche und unsere Gemeinden.
Manche Anregung gilt in gleichem Maße für allgemeine Gesprächsgruppen, die sich zum Teil oft ohne Regelmä-

ßigkeit treffen, wie auch für Bibelkreise, Synoden-Gesprächsgruppen, Treffpunkte alleinerziehender Mütter usw.
Eine besondere Form der Familiengruppen, die Equipe Notre Dame (END) soll hier eigens erwähnt werden, weil von dieser Bewegung — aus Frankreich kommend — nach dem Krieg die Familiengruppenarbeit in Deutschland ausging. Diese Familiengruppen fordern ein verstärktes Engagement ihrer Mitglieder und zielen sehr stark auf eine religiöse Vertiefung hin.

2.2. *Wozu Familiengruppen und -kreise?*
— Begründung und Ziele —

Für die Ehepaare

- Man sucht Kontakt, will Gemeinschaft (und dabei doch eine gewisse Distanz gewahrt sehen). Die Gruppen und Kreise bieten die Möglichkeit, aus der Isolation und Anonymität herauszukommen, in die viele — auch junge Leute — geraten sind. (Probleme der Kleinfamilie!)
- Das »zwanglose Gespräch« wird gesucht, man will nicht »organisiert« sein.
- Jeder kann — wenn er will — seine persönlichen Erfahrungen, Erlebnisse, Sorgen und Schwierigkeiten einbringen. Eine Möglichkeit, in unserer rationalen Zeit eine offene, emotionale Kommunikation zu finden.
- Die kleinere Gruppe ist für jede Form der Weiterbildung gegenüber einer »Veranstaltung« im Vorteil.
- Gegenseitige Hilfe durch den Gedankenaustausch über Fragen des »Sichverstehens«. Für viele ist die partnerschaftliche Ehe eine Zielvorstellung. Es geht darum zu lernen, wie man aufeinander hört, wie man miteinander spricht. Man kann lernen, sich auseinanderzusetzen, zu »streiten« in sachlichen Gesprächen. Die Ehepartner können Anregungen bekommen für das »Gespräch miteinander«.

- Information und Gespräche über allgemeine Lebensfragen, über Glaube, Kirche und Gesellschaft, über Probleme des Alltags, des Berufs, über Erziehung, Freizeitgestaltung und anderes mehr.
- Gegenseitige Hilfe in den kleinen und größeren Nöten und Sorgen des Alltags.
- Die Pflege erholsamer Geselligkeit durch gemeinsame Feste, durch Sport und Wandern.

Für die Pfarrgemeinde

- Überwindung der Anonymität der heutigen Großpfarrei.
- Gemeindebildung durch kleine, überschaubare Gruppen — nach dem Bibelwort: »Wo zwei oder drei in meinem Namen versammelt sind, da bin ich mitten unter ihnen« (Mt 18,20).
- Begegnung der Seelsorger mit den Ehepaaren im lebendigen, offenen Gespräch. (Die Gruppen sollten aber nicht vom Pfarrer oder Kaplan »abhängen«.)
- Wirksamkeit des Kreises oder der Gruppe in die Gemeinde hinein. Übernahme von — zeitlich begrenzten — Aufgaben in der Gemeinde. Dies sollte aber hauptsächlich spontan von der Gruppe oder vom Kreis ausgehen.

Für die Kirche

- Man hat von der Familie als »ecclesiola«, von der »Kirche im Kleinen« gesprochen. Trifft das nicht ebenso auf diese Kreise und Gruppen zu? Viele solche Zellen fördern die Erneuerung der Kirche.
- Die überpfarrlichen Gruppen können als wertvolle Elemente gesehen werden auf dem Weg zu neuen Strukturen der Kirche. (Dabei braucht das territoriale Prinzip nicht zu kurz zu kommen!)

A

2.3. *Wie entstehen solche Gruppen und Kreise?*
— Einige Beispiele —

Wichtige Voraussetzung ist ein Klima der Offenheit und der Gesprächsbereitschaft. Wo eine Mehrheit nur »konsumieren« will, ergeben sich zwangsläufig Schwierigkeiten bei der Gründung von Familienkreisen und -gruppen. Es geht deshalb zuerst darum, an dieser Atmosphäre des Miteinander« zu arbeiten, in der Familiengruppen und -kreise gedeihen können.

Nun eine Auswahl von möglichen Initiativen

- *Ein oder mehrere Ehepaare* hören von der Möglichkeit der Familiengruppen. Sie *informieren sich*, sprechen miteinander über dieses Vorhaben und *vereinbaren* einen Termin für den *ersten Gesprächsabend.*
  Hierzu könnte ein befreundetes Ehepaar eingeladen werden, das bereits an einer Familiengruppe teilnimmt.
- *Ein Priester* — überzeugt von »der großen Chance der kleinen Gruppe« — *kennt einige Ehepaare,* die interessiert sind. Gelegentlich *spricht er mit ihnen* über die Möglichkeiten von Familiengruppen und besorgt ihnen leicht lesbare« Informationen (siehe A. 2.6.).
- In einem *Seminar wird über Fragen von Ehe und Familie gesprochen.* Nach drei oder vier Seminar-Abenden wird der Wunsch laut, die *Gespräche fortzusetzen.* Der »Beauftragte für Ehe und Familie im Pfarrgemeinderat«, der Pfarrer, der Kaplan oder ein anderer Teilnehmer des Seminars schlagen einen monatlichen Familienkreis vor, zu dem jeweils alle Familien eingeladen werden. Informationsmaterial wird verteilt.
- Die *Leitung des Kindergartens* lädt *regelmäßig* zu *Elternabenden* ein. Die Eltern spüren dabei so richtig, wie wichtig es ist, Kontakt zu halten, damit sie ihrer Erziehungsaufgabe gerecht werden können. Ein Ehepaar ergreift die Initiative und lädt drei oder vier andere Eltern-

A

paare zur Fortsetzung des Gesprächs zu sich nach Hause ein.

- In einer *Kolpingsversammlung* (man könnte auch andere Verbände für dieses Beispiel heranziehen) wird der Wunsch geäußert, doch in stärkerem Maße die Frauen zu den Versammlungen einzuladen. Ein Familienkreis entsteht. (In der Deutschen Kolpingsfamilie beispielsweise bestanden im Jahr 1970 über 700 Familienkreise.)
- In Stadtrandgebieten, wo ein Wohnblock nach dem anderen aus dem Boden schießt, suchen viele nach einem Ausweg aus der Isolation und Anonymität.
  Eine »mutige« Frau spricht nach dem *sonntäglichen Gemeindegottesdienst* ein Ehepaar an, das ihr schon seit Wochen in der Bank »nebenan« aufgefallen war. Sie vereinbaren einen Termin für einen Gesprächsabend, zu dem jeder noch ein weiteres Ehepaar mitbringen will.
  Ein anderer geht auf den Kaplan zu und fragt ihn nach Möglichkeiten zu Kontakten innerhalb der Gemeinde.
- Im *Pfarrgemeinderat* wird die Planung des *Sachbereiches »Ehe und Familie«* besprochen. Neben einem Ehe-Seminar und einem Babysitterdienst wird die Gründung eines Familienkreises erwogen. Ein Ausschuß von drei oder vier Personen bereitet einen *Informationsabend* vor, zu dem anhand der Pfarrkartei alle in Frage kommenden Ehepaare eingeladen werden. Mit einem guten Tonbild wird ein lebhaftes, anregendes Gespräch in Gang gebracht. Wenn der Abend gelingt, ist die Wahrscheinlichkeit groß, daß die Arbeit in diesem Kreis fortgesetzt werden kann.
- Ein anderer Pfarrgemeinderat beschließt, in der Gemeinde *eine Umfrage* mittels Fragebogen durchzuführen, um die Erwartungen und Wünsche festzustellen. Eine der Fragen kann lauten:
  »Würden Sie an einem Ehe- oder Familienkreis teilnehmen? Diese Abende finden in der Regel nur einmal im Monat statt. Auf dem Programm stehen meist Ehe- und

Erziehungsfragen, religiöse, allgemeinbildende und sonstige aktuelle Themen.«
Die Familien, die ihr Interesse bekunden, werden zu einem Informationsabend eingeladen.

- Ein Ehepaar hat mit seinen Kindern ein von der Diözese veranstaltetes *»Wochenende für Leiter von Familienkreisen«* besucht. Sie sind von dieser Idee überzeugt, suchen befreundete Ehepaare auf und besprechen mit ihnen die örtlichen Möglichkeiten.
- In einem *Arbeitskreis »Ehe und Familie« im Dekanat* werden die Vorteile und Möglichkeiten zur Gründung von Familienkreisen oder -gruppen erwogen.
  Die Teilnehmer überlegen dabei, wie sie in ihrer Gemeinde Ehepaare (und vielleicht auch den Pfarrer?) dafür gewinnen können. (Ohne wenigstens *eine »treibende Kraft«* kommt nichts in Gang.)
- Erstkommunion — Aus den Elternabenden zur Vorbereitung entsteht hier und dort ein Familienkreis.

In all diesen Beispielen stand am Anfang ein einzelner, ein Ehepaar oder eine kleine Gruppe, die bereit war, sich zu engagieren, »Motor« zu sein.

2.4. *Wie geht es weiter?*
— Methoden der Arbeit —

Familienkreise und Familiengruppen unterscheiden sich hauptsächlich in der Arbeitsweise:

a) Der Gesprächsabend einer Familiengruppe

Teilnehmer etwa 8—12 Personen, vielleicht auch der Seelsorger. Getränke und etwas Gebäck können angeboten werden.
Die einladende Familie sollte sich etwas intensiver mit dem Thema beschäftigen und dadurch den Abend vorbereiten. Das entbindet natürlich die anderen Gesprächspartner nicht, sich (evtl. durch die Hefte »Neue Gesprä-

che«) auf den Abend vorzubereiten und auf das Thema einzustellen.

Möglicher Ablauf des Abends:

Ein zwangloses Gespräch (bis alle Gäste eingetroffen sind) fördert den Zusammenhalt der Familiengruppe.

1. Begrüßung durch die gastgebende Familie und Lesung der vereinbarten Schriftstelle (oder einer anderen zum Thema passenden Einführung).
2. Kurze Darlegung der Problematik durch die Gastgeber (oder eine dazu bestimmte Person) evtl. anhand vorbereiteter Fragen bzw. Gesprächsvorlagen.
3. Hauptteil des Abends: das Gespräch. — Dazu können auch Zeitungsartikel, Berichte, Tonbilder, Zitate usw. herangezogen werden. (Besonders die Hefte »Neue Gespräche« sind dazu geeignet, siehe 2.6.).
4. Den Abschluß bildet vielleicht ein entsprechend vorbereitetes oder frei gesprochenes Gebet. (Das kommt aber sehr auf die einzelne Gruppe an!)
   Die »technischen Fragen«, wie weitere Termine, Themen, gemeinsame Geselligkeiten, könnten vielfach schon während des Anfangsgesprächs geklärt werden.
5. Der »offizielle Teil« sollte normalerweise nicht länger als zwei bis zweieinhalb Stunden dauern.

b) Zusammenkunft eines Familienkreises

Bei größeren Kreisen (bis zu 60 Personen) kommt man oft kaum ohne einen Referenten für das vorgesehene Thema aus.
Es sollten aber auf jeden Fall Fragen für Gruppengespräche vorbereitet werden. Raum und Sitzordnung sind für den Verlauf des Abends nicht unwichtig! Der Raum sollte deshalb zuvor so freundlich wie möglich gestaltet werden. Das Sitzen an Tischen mit 6—8 Personen hat sich bewährt.

Möglicher Ablauf des Abends: (bei größeren Kreisen)

1. Begrüßung durch die verantwortliche Familie
2. Kurzreferat oder Vorführung eines Tonbildes oder Kurzfilmes
3. Gruppengespräche nach vorbereiteten Fragen
4. Berichterstattung durch die Gruppen
5. Allgemeine Aussprache
6. Abschluß und Vereinbarung der nächsten Themen und Termine.

Wenn kein Referent zur Verfügung steht, sollte sich eine Familie in das Thema einarbeiten, die Fragen vorbereiten und das Gespräch leiten.

c) Die »verantwortliche« Familie:

In Familienkreisen, die in der Regel mehr als zehn Ehepaare umfassen, ist noch mehr als in der Familiengruppe eine verantwortliche Familie nötig. Sie kann gewählt und nach etwa ein bis zwei Jahren wieder abgelöst werden. Die Aufgaben bestehen im Anbieten und Durchtragen einer Konzeption mit allen organisatorischen Konsequenzen.

d) Die Rolle des Seelsorgers:

Der Seelsorger sollte sich als Anreger verstehen, der Impulse gibt und die Arbeit der Gruppe begleitet. Höchstens für den »Start« sollte er vorübergehend die Aufgaben der »verantwortlichen Familie« übernehmen.

2.5. *Worüber kann man sprechen?* — Themen —

Wie findet man Themen? Das ist natürlich eine ganz entscheidende Frage. Hier einige Hinweise:

- Zeitschriften und Zeitungen »sichten« — Ausschnitte daraus sammeln (besonders Elternzeitschriften, z. B. ELTERN — LEBEN UND ERZIEHEN u. a.) oder einen interessanten Artikel für die teilnehmenden Ehepaare fotokopieren.

- Eine alle interessierende Fernsehsendung (Film, Bericht, Lernprogramm) gemeinsam ansehen und dann besprechen. (Nach Möglichkeiten suchen, mit Videorekorder zu arbeiten!)
- Offene Fragen aus den Gesprächen der Abende aufschreiben.
- Benutzung von Handreichungen und Arbeitshilfen, die entsprechende Themenvorschläge bringen (vgl. dazu 2.6.)

Themenkreise

Der gesamte in Frage kommende Gesprächsstoff läßt sich den möglichen Zielen der Gruppen entsprechend in sechs Themenkreise gliedern.

Ziele	Themenkreise
Partnerschaftliche Beziehungen überdenken und einüben	1. Ehe und Partnerschaft
Befähigung der Eltern zur Erziehung ihrer Kinder	2. Erziehungsfragen
Die Stellung der Familie in der Gesellschaft erkennen	3. Familie und Gesellschaft
Die Wandlungen im Glaubensverständnis der Kirche verstehen und mitgestalten lernen	4. Glaube und religiöses Leben
Das Lernen kirchlicher Einheit in Vielfalt	5. Kirche im Wandel
Offenheit für die Probleme des Menschen und der Gesellschaft	6. Der Mensch in der Gesellschaft

Zu diesen sechs Themenkreisen bietet die vorliegende Handreichung im Anhang (S. 102 ff) eine große Zahl von

A

Vorschlägen für die Abgrenzung und Formulierung einzelner Gesprächsthemen, als Hilfe zur Programmgestaltung.

Muster für ein Halbjahresprogramm einer Familiengruppe

»Folgende Gesprächsabende sind für das Winterhalbjahr 1972/73 vereinbart:

Termine	Thema	bei Familie
8. 10. 72	Was werden unsere Kinder lernen? – Der neue Bildungsplan –	Plenck
12. 11. 72	Bastelnachmittag (Familienkreis)	Bachhuber
6. 12. 72	Verständigung durch Gespräche	Pfarrzentrum
8. 12. 72	Die Synodenvorlage über die Firmung	Mayr
12. 1. 73	Mit Konflikten leben »Der Ehekrieg«	Pawlik
9. 2. 73	Der Strafgefangene – Sündenbock seiner Mitmenschen? –	Jürgens
20. 2. 73	Faschingsball (Familienkreis)	Pfarrzentrum
10. 3. 73	Antiautoritäre Erziehung – Ein Schlagwort? –	Plenck

Wir treffen uns jeweils bei der angegebenen Familie um 20 Uhr, bzw. im Pfarrzentrum.

Die gastgebende Familie kümmert sich – wie vereinbart – um die Gestaltung des Abends. Jede Familie sollte sich aber trotzdem vorher selbst über das Thema Gedanken machen.

Mit freundlichen Grüßen
Ihre Familie Bachhuber«

2.6. *Welche Hilfen gibt es?* **A**

— Information, Material, Beratung —

Wer den Mut (und die Zeit!) hat, die Initiative zu ergreifen beziehungsweise einen Kreis oder eine Gruppe zu leiten, findet heute schon ein recht großes Angebot praktischer Hilfe. Die vorliegende Handreichung selbst möchte eine solche Hilfe bieten, indem sie in der Praxis schon erprobte Modelle vorstellt und auf Literatur, andere Hilfsmittel und auf Informationsmöglichkeiten hinweist.

- *Einschlägige Literatur* ist über den Buchhandel leicht zu beziehen. Das Literaturverzeichnis am Ende desses Bandes nennt eine ganze Anzahl von Titeln. Auf zwei periodische Veröffentlichungen sei jedoch wegen ihres besonderen Wertes für die praktische Arbeit gleich an dieser Stelle aufmerksam gemacht:

1. *»Neue Gespräche« — Handreichungen für Familiengruppen und Gesprächskreise*

Es erscheinen sechs Hefte pro Jahr. In jedem Heft werden fünf Themen aus verschiedenen Bereichen als Anregung für das Gruppengespräch geboten. Außerdem erscheinen regelmäßig Gesprächsvorlagen zu den in den Elternbriefen »DU und WIR« (s. unten) behandelten Themen. Artikel von wissenschaftlichen Mitarbeitern, Buchbesprechungen und ein »Rückblick« für den Erfahrungsaustausch ergänzen diese wertvolle Arbeitshilfe. Das Heft sollte — zur Vorbereitung — wenn möglich von jeder Familie bezogen werden; der Preis ist sehr niedrig gehalten.

Bestellung bei: AKF — Arbeitsgemeinschaft für kath. Familienbildung e. V., 53 Bonn, Dransdorfer Weg 10.

2. *Elternbriefe »DU und WIR«*

Die Elternbriefe bieten in gut verständlicher Form Hilfen für alle Erziehungsfragen, von der Geburt bis zur Einschulung des Kindes. (Siehe dazu auch B 5.5.) Gesprächsvorlagen zu den behandelten Fragen erscheinen regelmäßig in der Zeitschrift »Neue Gespräche«.

Zu beziehen durch das eigene Pfarramt oder bei: Einhard-Verlag, 51 Aachen, Postfach 1426.

- *Audiovisuelle Hilfsmittel* — Familienkreise und besonders Familiengruppen können sich oft nicht auf geschulte Referenten stützen. Eine gute Möglichkeit, sich Informationen zu beschaffen und das Gespräch anzuregen sind heute die audiovisuellen Medien. Es bieten sich besonders an: Tonbilder — Kurz- und Spielfilme — Hörbilder (Schallplatten, Tonbänder, Kassetten) — Lichtbild-Reihen. Bei den Landesfilmdiensten und den entsprechenden Stellen der einzelnen Diözesen sind Kataloge erhältlich, die über das zur Verfügung stehende Material informieren (Anschriften im Anhang).

  Die Möglichkeiten der Fernseh-Aufzeichnung mittels Videorekorder könnten gerade für Familiengruppen und -kreise genutzt werden.

- *Handreichungen für Seminare der Ehe- und Familienbildung* eignen sich vielfach auch für Familienkreise und -gruppen. Im Anhang dieses Bändchens finden sich einige Beispiele solcher Handreichungen.

- *Persönliche Beratung* durch den Familienreferenten des Bistums (des Bezirks oder der Region) kann sicher helfen, die vorhandenen Möglichkeiten zu erkennen und geeignete Schritte zu planen.

- *Arbeitstreffen* für Verantwortliche von Familiengruppen und -kreisen. — Manche Bistümer bieten von Zeit zu Zeit Wochenendkurse (für die »ganze« Familie) zur Information und zum Gedankenaustausch an.

3. Offene Bildungsarbeit

Einige Vorbemerkungen zur Methode heutiger Bildungsarbeit:

- Veranstaltungen mit mehr als 100 Teilnehmern gehören mehr ins »Show-Geschäft« als in die Bildungsarbeit (aber auch hier gilt: keine Regel ohne Ausnahme!)
- Weniger Vorträge — mehr Gespräch!
- Jeder Teilnehmer kann — gerade in diesen Bereichen — aus seiner Erfahrung beitragen. Deshalb: Gespräche in kleinen Gruppen.
- Neben Vortragsveranstaltungen und Seminar-Reihen sollten auch die anderen Formen der Bildungsarbeit »gewagt« werden, zum Beispiel:
  Arbeitskreis — Kurs — Hearing —Feature — Kolloquium — Podiumsgespräch — Filmabend — Fernsehzirkel usw.
- Für einen »Lernerfolg« sind Seminare und Reihen bedeutend günstiger als Einzelveranstaltungen.
- Mehr Einsatz von Hilfsmitteln: Dia-Reihen, Tonbilder, Schallplatten, Rundfunk- und Fernsehaufzeichnungen, Tonband-Interviews, Kurzfilme, Bildkollagen, Arbeitsbogen, Fragebogen, Zeitschriftenausschnitte und anderes Anschauungsmaterial.

Gerade auch im Hinblick auf die Methoden ist eine gewissenhafte Vorbereitung der Veranstaltungen dringend erforderlich.

3.1. *Konzept einer Ehe- und Familienbildung im Bistum und in der Gemeinde*

Wie bereits gesagt, sind Seminare günstiger als Einzelveranstaltungen, weil Lernprozesse durch eine intensivere und länger dauernde Arbeit eher in Gang gesetzt werden können. Das hier vorgelegte Modell von Seminaren, die jeweils vier bis sechs Veranstaltungen umfassen, ist ein Versuch in dieser Richtung und wird schon seit einiger Zeit im Erzbistum München und Freising erprobt.

A

- *Nicht »Zuhörer«, sondern »Teilnehmer«*
  Ebenso wie die Kirche in der Liturgie die aktive Teilnahme aller Gläubigen fordert und fördert, setzt sich auch in der Bildungsarbeit immer mehr die Erkenntnis durch, daß neben einer guten Information die aktive Mitarbeit der Teilnehmer an Bildungsveranstaltungen von entscheidender Bedeutung ist. Exakte empirische Untersuchungen haben ergeben, daß bei eigenem Sprechen oder Tun bis zu 70%, ja bis zu 90% des so Angeeigneten behalten werden gegenüber nur etwa 20% beim reinen Zuhören.

- *Das Gespräch steht im Vordergrund*
  Mehr denn je gilt es darum heute, die Fähigkeiten der Teilnehmer selbst zu mobilisieren, ihre Erfahrungen und Sachkenntnisse zu Wort kommen zu lassen und auf bloßes Belehren zu verzichten. Deshalb sind auch die Seminare für Ehe- und Familienbildung so konzipiert, daß Gespräche in Gruppen oder im Plenum im Vordergrund stehen. Die vorgesehenen kurzen Referate dienen dazu, die nötige Information zu vermitteln und die einzelnen Abschnitte eines Seminar-Abends miteinander zu verbinden. Der Einsatz von Tonbildern, Filmen und anderen audiovisuellen Hilfsmitteln kann die Lebendigkeit und die aktive Mitarbeiter der Seminar-Teilnehmer fördern.

- *Auch für die offene Bildungsarbeit gilt das Wort von der großen Chance der kleinen Gruppe*
  Die aktive Teilnahme jedes einzelnen ist bei Veranstaltungen mit vielen Teilnehmern nicht immer im gewünschten Maße möglich. Man sollte den Erfolg solcher Abende also nicht an der Besucherzahl messen und braucht es nicht zu bedauern, daß vielerorts kleinere Teilnehmerzahlen die Regel sind — ohne daß man das angestrebt hätte. Natürlich kann es für die Leitung eines solchen Gesprächsabends anstrengend und unbequem

werden, wenn jeder die Möglichkeit hat, seine Meinung zu sagen. Dem eigentlichen Ziel der Bildungsarbeit aber wird durch diese Seminar-Form besser gedient als durch Vortragsveranstaltungen alten Stils.

• *Der Referent oder Seminar-Leiter*

Die Anforderungen an den Referenten eines solchen Seminars werden durch diese Konzeption nicht geringer. Seine Aufgabe besteht nicht in langen Vorträgen, sondern in gekonnten Gesprächsimpulsen und einer geschickten Gesprächsführung. Ebenso muß er den Einsatz der zwischen Veranstalter und Referent besprochenen Medien beherrschen oder anderes anregendes Arbeitsmaterial einsetzen.

Bei dieser Form des Seminars wird es möglich, daß ein Referent oder eine Referentin (oder auch ein Ehepaar) alle Abende gestaltet. Man könnte darum auch statt von einem »Referenten« von einem »Seminar-Leiter« sprechen. Gegenüber Veranstaltungsreihen hat diese Form folgende Vorteile:

— Es entsteht leichter eine Gemeinschaft, weil man sich nicht nur flüchtig kennenlernt.
— Inhaltliche Überschneidungen werden vermieden.
— Die einzelnen Referate bauen aufeinander auf, ohne daß sich die Aussagen widersprechen.
— Nicht ausdiskutierte Themen können in den darauf folgenden Abenden vertieft werden.
— Das Programm des Seminars ist viel beweglicher.
— Wenn das Seminar gut gelingt, besteht vielleicht eher das Bedürfnis, in ähnlicher Weise weiterzuarbeiten (z. B. als Familienkreis oder -gruppe).

• *Qualifikation der Referenten*

Die Anforderungen an die Referenten bzw. Seminar-Leiter sind — wie gesagt — in dieser Form des Seminars nicht gering. Deshalb ist es zweckmäßig, in regelmäßi-

A

gen Abständen »Referenten-Gespräche« in kleineren Gruppen durchzuführen, die folgende Aufgabe haben:

— Erfahrungsaustausch der Referenten.
— Weiterbildung durch qualifizierte Fachleute.
— Gemeinsame Verbesserung der Handreichungen.
— Besseres Einarbeiten neuer Referenten.
— Information über neue Arbeitshilfen und geeignetes Werkmaterial.
— Erarbeitung von gemeinsamen Fragestellungen für Gruppengespräche sowie von Arbeitsmitteln für die Seminar-Teilnehmer.

Die Qualifikation der Referenten muß in drei Richtungen befragt bzw. ständig fortentwickelt werden:

1. Menschliche Fähigkeiten für die Arbeit mit Gruppen
2. Thematisches Grundwissen
3. Methodische Kenntnisse und Erfahrungen

• *Vorbereitung des Seminars*

Wer ein solches Seminar durchführen will, sollte sich von der entsprechenden Arbeitsstelle eines Bistums die geeigneten Handreichungen besorgen. Diese haben für die einzelnen Abende meist folgende Gliederung:

1. Aufgabenstellung
2. Mögliche Inhalte
3. Methodische Vorschläge
4. Materialhilfen
   (Literatur — Tonbilder — Filme — Vorlagen für Gruppenarbeit u. a.)

Sobald sich der Veranstalter (Pfarrgemeinde oder Bildungswerk) über seine Vorstellungen und Wünsche (Seminar-Reihe, Termin u. a.) Klarheit verschafft hat, kann er (Pfarrgemeinderat) — über die Arbeitsstelle des Bistums oder mit Hilfe von Referentenlisten — darangehen, einen geeigneten Referenten zu finden.

In einer *Vorbesprechung* wird der Referent mit den Verantwortlichen der Veranstaltung (z. B. Sachausschuß Ehe und Familie im Pfarrgemeinderat bzw. der Leitung des Familienkreises) mit Hilfe der Handreichung die Einzelheiten der Durchführung überlegen. **A**

Die wichtigsten Besprechungspunkte sind:

— *Termine*

— *Formulierung der Themen* für die Ankündigung (die Vorschläge der Handreichungen sind immer nur als Anregung zu verstehen)

— *Besprechung der vorgesehenen Inhalte* (Hier sollte man nicht zu viel und zu exakt planen, um Wünschen der Teilnehmer besser entsprechen zu können.)

— *Besprechung der möglichen Methoden* (Diskussion in Gruppen oder im Plenum, welche Filme oder Tonbilder usw.)

— *Raumfrage*
Ein angenehmer Raum ist für das Gelingen der Veranstaltung von großer Bedeutung. Er soll nicht zu groß, gut belüftet bzw. geheizt sein. Stuhlreihen sind ungeeignet. Eine für Gruppengespräche geeignete Sitzordnung könnte etwa so aussehen:

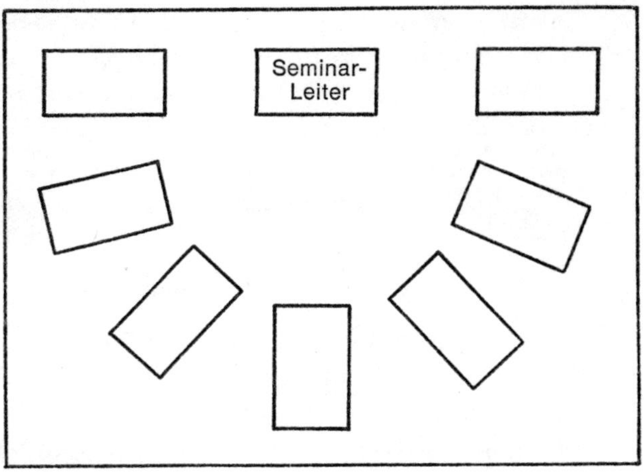

– *Werbung / Einladung*
In vielen Gemeinden wird eine einfache Ankündigung genügen, da diese Seminarform mit 20 bis höchstens 40 Teilnehmern am besten gelingt. Wenn mehr kommen, kann man natürlich auch noch arbeiten. Es wäre dann aber besser, zwei Seminare mit je 20 bis 40 Teilnehmern durchzuführen.

Eine wichtige Funktion der Vorbesprechung ist auch darin zu sehen, daß der Seminar-Leiter die Situation der Gemeinde kennenlernt und umgekehrt die Verantwortlichen der Veranstaltung wissen, mit welchem Referenten sie es zu tun haben.

- *Finanzierung*

– Als *Unkostenbeitrag* empfehlen sich in der Regel folgende Sätze:

Einzelkarte für den Abend	DM 1,00
Karte für ein Ehepaar für einen Abend	DM 1,50
Seminar-Karte / Einzel	DM 3,00
Seminar-Karte / Ehepaar	DM 5,00

Ein kostenloser Eintritt ist nach allen bisherigen Erfahrungen nicht zu empfehlen. Er führt in der Regel eher zu niedrigeren als zu höheren Teilnehmerzahlen.

– Das *Honorar* für den Referenten bzw. das Referenten-Ehepaar liegt für vier Abende (einschließlich der Bemühungen für die Vorbesprechung) bei etwa 300,– bis 400,– DM.

– An *Fahrtkosten* werden in der Regel 0,20 bis 0,25 DM pro Kilometer ersetzt.

3.2. *Zusammenstellung einzelner Seminar-Reihen*

Im folgenden seien einige Seminarreihen vorgestellt, die sich in der Praxis schon bewährt haben. Für die mit *) bezeichneten Reihen sind im Anhang ausführliche Handreichungen abgedruckt, die das Vorgespräch (siehe 3.1.)

zwischen den Veranstaltern und den Referenten erleichtern können. Was die Wahl der »möglichen Themen« anlangt, so kann sich je nach Situation die Beschränkung auf *ein* Gesamtthema empfehlen. Das erhöht die Beweglichkeit des Seminars.

Jugendseminar: »Hallo Partner!«

Mögliche Themen:

1. »Hallo Partner!«
2. »Nimm mich bitte so, wie ich bin!«
3. »Liebe kontra Sex?«
4. »Liebe vor der Ehe«
5. »Abschluß-Party«

Zielsetzung: Für junge Menschen ist das Hineinwachsen in die Gesellschaft, die Begegnung mit den »Anderen«, besonders auch mit dem anderen Geschlecht, eine entscheidende wichtige Lebensfrage.

Junge Menschen sollen deshalb sehen und beurteilen lernen, wie sich Mann und Frau im täglichen Leben verhalten können und sollen.

Dadurch sollen sie befähigt werden, ihr eigenes Verhalten — hier besonders im Hinblick auf Partnerschaft — besser zu erkennen und gegebenenfalls zu verändern.

Zielgruppen: Junge Leute zwischen 14 und 20 Jahren (Altersgruppe möglichst eng fassen, z. B. am besten nur die 14—16jährigen oder die 16- bis 18jährigen ansprechen!)

Ehevorbereitungsseminar: »Partnergespräche«

Mögliche Themen:

1. »Wie sehe ich den Partner, wie sieht er mich?«
2. »Wir heiraten, weil . . .«

3. »Was erwartet uns in der Ehe?«
4. »Was hat unsere Liebe mit Gott zu tun?«

Zielsetzung: Bewußtwerden der eigenen Möglichkeiten verbunden mit einer möglichst illusionsfreien Betrachtung des Partners sind Grundlagen für eine erfolgversprechende Partnerbeziehung in der Ehe. Deshalb soll hier partnerschaftliches Verhalten in Gruppenarbeit eingeübt werden. Bei Berücksichtigung anthropologischer, soziologischer und psychologischer Aspekte wird dann auch eine Reflexion auf das eigentlich Christliche der Ehe möglich.

Zielgruppen: Paare, die in absehbarer Zeit heiraten wollen (u. U. kann eine Bescheinigung über die Teilnahme am Brautunterricht ausgegeben werden).

Eheseminar: »Wie Partnerschaft gelingt«)*

Mögliche Themen:

1. »Die vielen Tage in der Ehe«
2. »Einübung in Partnerschaft«
3. »Sexualität und Ehe«
4. »Christliche Ehe — eine Chance«

Zielsetzung: Das Seminar regt an, über die Ehe in der heutigen Situation nachzudenken — über ihre Bedeutung für den einzelnen wie für die Gesellschaft — und mit anderen Teilnehmern ins Gespräch kommen.

Es will Lernschritte zu einer partnerschaftlichen Beziehung aufzeigen und für ernstere Konfliktfälle evtl. den Weg zur Ehebratung einleiten.

Es will — darauf aufbauend — das eigentlich Christliche in der Ehe des Christen suchen und herausarbeiten.

Zielgruppen: Ehepaare (vielleicht nach »Ehealter« einladen!) Die Teilnehmerzahl sollte auf 15 Ehepaare beschränkt werden.

Erziehungsseminar (Elternseminar): »Kinder fordern uns heraus«)*

A

Mögliche Themen:

1. »Kinder fordern uns heraus«
2. »Hilfe — ich muß erziehen!«
3. »Sexualität und Liebe«
4. »Die Sache mit dem ›lieben Gott‹ «

Zielsetzung: Die Grundlagen heutiger Kindererziehung, besonders die einzelnen Erziehungsstile sollen mit den Eltern durchgesprochen werden.
Orientierungshilfen und praktische Anregungen — gerade dort, wo die Eltern ihre Fragen und Probleme haben — werden erarbeitet.

Zielgruppen: Alle Eltern (wenn möglich) nach Altersgruppen der Kinder einladen! (Vielleicht über Kindergarten oder Schule!)

Familienseminar

Mögliche Themen:

1. »Ehen werden nicht im Himmel geschlossen«
2. »Wie Partnerschaft gelingt!«
3. »Deine Kinder sind nicht deine Kinder!«
4. »Erziehung zu Freiheit und Verantwortung«

Zielsetzung: Einige Ziele bzw. Inhalte aus dem Ehe- und dem Erziehungsseminar werden ausgewählt und zu einer eigenen Seminar-Reihe zusammengefaßt. Die Zusammenstellung empfiehlt sich für kleine Gemeinden und Bildungswerke, die diese beiden Bereiche nicht in getrennten Seminaren angehen wollen. Es handelt sich dabei jedoch um eine Notlösung, da zwei Abende oft nicht ausreichen, um über Fragen der Ehe bzw. der Erziehung richtig ins Gespräch zu kommen.

Zielgruppen: Ehepaare / Eltern

Schwerpunkt-Seminar: »Jesus ruft uns«
— Vorbereitung zur Erstkommunion in Gruppen —

Mögliche Themen:

1. »Didaktische und methodische Einführung« (Informationsabend)
2. Eucharistie im NT
3. Eucharistie für Kinder
4. Die praktische Arbeit mit Kindergruppen

Zielsetzung: In diesem Seminar sollen Eltern, die die Vorbereitung von Kindergruppen auf die Erstkommunion übernehmen wollen und können, informiert und didaktisch-methodisch in diese Aufgabe eingeführt werden. (Arbeitsmaterial: Arbeitsmappe »Jesus ruft uns« [Kösel-Verlag]).

Zielgruppen: Pädagogisch begabte Eltern

Schwerpunkt-Seminar: »Glauben lernen«
— »Die Sache mit dem ›lieben Gott‹ « —

Mögliche Themen:

1. »Grunderfahrungen für die religiöse Erziehung«
2. »Leben aus dem Glauben«
3. »Für die Welt erziehen«
4. »Formen sind keine Rezepte«

Zielsetzung: Ziel des Seminars ist es, die heute üblichen Methoden, besonders aber auch die häusliche religiöse Erziehung zu befragen, ob sie geeignet sind, ein echtes, unsentimentales Verhältnis der Kinder zu Gott zu ermöglichen.

Zielgruppen: Junge Ehepaare, Eltern von Kindergartenkindern

Schwerpunkt-Seminar: »Unser Kind ist so unkonzentriert«)*
— Erziehung zur Konzentration —

Mögliche Themen:

1. »Konzentration in der Entwicklung des Kindes«
2. »Konzentrationsschwierigkeiten sind Lebensschwierigkeiten«
3. »Spiele als Hilfe zur Konzentration«

Zielsetzung: Das Seminar will zur Konzentrationsfähigkeit hinführen und versuchen, Einblick zu geben, welche Hilfen möglich sind, um Konzentrationsstörungen und -schwächen zu überwinden.

Zielgruppen: Junge Ehepaare, Eltern von Kindergarten- und Schulkindern. — Die Teilnehmerzahl sollte auf 30 Personen beschränkt werden.

Schwerpunkt-Seminar: »Entspannung — Sammlung — Meditation in Ehe und Familie«)*
— Die Stille und das Gespräch als Hilfe für die überforderte Familie —

Mögliche Themen:

1. »Wie finden wir zur Entspannung — Sammlung — Meditation?«
2. »Betrachtung eines Tages«
3. »Den Partner meditieren«
4. »Das Gespräch in Ehe und Familie«
5. »Einübung der Stille vor Gott«
6. »Meditation mit Kindern«

Diese Themen sind als Auswahl gedacht. Das Meditations-Seminar kann auch in drei oder vier Abenden durchgeführt werden.

Zielsetzung: Das Seminar will Hilfen anbieten, wie wir in der Familie zu Entspannung, Sammlung und Meditation finden können. Auch das Miteinander-Sprechen in Ehe und Familie soll eingeübt werden.

Zielgruppen: Ehepaare, Eltern. — Die Teilnehmerzahl sollte auf 25 Personen beschränkt werden.

Schwerpunkt-Seminar: »Sexualerziehung zwischen Tabu und Freiheit«)*

— Hilfen auf dem Weg zum Menschsein —

Mögliche Themen:

1. »Ja zur Sexualität«
2. »Erziehung zur Liebesfähigkeit«
3. »Antwort auf Kinderfragen«

Zielsetzung: Viele Eltern sind hier verunsichert, andere flüchten sich in Vereinfachungen. Das Seminar soll den Eltern die Möglichkeit geben, über Ziele und Wege der Sexualerziehung in Elternhaus und Schule nachzudenken, um gegebenenfalls ihre eigene Einstellung und ihre Methoden zu verändern.

Zielgruppen: Eltern (möglichst nach Altersgruppen der Kinder), Lehrer.

3.3. *Ehevorbereitende Bildung*

Die im Pfarrgemeinderat für Ehe und Familie und für Erwachsenenbildung Verantwortlichen sollten Überlegungen anstellen, wie den jungen Leuten schon möglichst frühzeitig Möglichkeiten zur Vorbereitung auf Ehe und Familie angeboten werden können.

Die weitverbreitete Form der kirchlichen Ehevorbereitung (Brautleutetage) ähnelt einem »Schnellverfahren in Ehetheologie«, das oftmals nicht die benötigte Hilfe für die kurz vor der Heirat stehenden jungen Menschen ist.

Deshalb müßten in dieser Richtung Versuche gemacht werden, die in besonderen Fällen auch auf Gemeindeebene, sicher aber im Dekanat unternommen werden könnten.

- Zusammen mit dem für die Jugendarbeit Verantwortlichen sollten den Entwicklungsstufen der Jugendlichen angepaßte Foren und Seminare zur entfernteren Ehevorbereitung durchgeführt werden, mit Blick auf Begegnungsfähigkeit und rechte Sicht auf Liebe, Sexualität und Partnerwahl.

- Daran schließen sich Ehevorbereitungs-Seminare an, im Sinne der unmittelbaren Ehevorbereitung, für junge Leute, die ein festes Verhältnis haben und bald heiraten wollen. Diese Veranstaltungen mit verschiedenen Fachleuten können offene Seminare oder Veranstaltungsreihen (meist an vier Abenden) oder geschlossene Wochenend-Seminare sein. Träger kann sein die Pfarrgemeinde, der Pfarrverband, eine Arbeitsgemeinschaft, das Dekanat, das Kreisbildungswerk oder das Bistum.

- Einige kurze Stichworte als Gedankenanstöße zur Verbesserung der kirchlichen Ehevorbereitung:
  - Beschränkung des Stoffes auf einige wesentliche Punkte
  - Beschränkung der Teilnehmerzahl auf etwa 30 Personen; bei mehr Interessenten entsprechend mehr Veranstaltungen
  - Angebot von Möglichkeiten, ein persönliches Gespräch oder eine Aussprache mit Fachleuten in einem kleinen Kreis zu führen
  - Diese Art des Brautleutetages ist nur sinnvoll, wenn früh genug mit der Ehevorbereitung in Jugendseminaren begonnen wird und Angebote ehebegleitender Bildung bestehen

- Alle Bildungsmaßnahmen der Erwachsenenbildung sind als Angebot zu verstehen und deshalb von allen bürokratischen und pastoralen Zwängen zu befreien. Nur eine beratende Arbeit wird erfolgreich sein (einschließlich Arbeitsmethoden!)

- Man sollte mit allen, die einmal Interesse an dieser Veranstaltung gezeigt haben, Kontakt halten. Man könnte ihnen anbieten, auf Anwesenheitslisten ihre Adressen einzutragen, damit sie, wenn sie es wünschen, über weitere Angebote informiert werden können.

- Für einen »personalisierten« Brautleutetag müßten sich in einem Dekanat etwa vier bis fünf Personen (darunter Priester, Arzt, Ehe- oder Erziehungsberater) verantwortlich fühlen, die Gesprächsrunden oder Begegnungsabende organisieren, an denen fünf bis zehn Paare teilnehmen könnten. Man könnte diese Abende mit allen Fachleuten gemeinsam durchführen oder diese nacheinander einladen. Um nicht in Zeitdruck zu geraten, müßten die Brautpaare ihren Heiratstermin allerdings spätestens zwei bis drei Monate vorher ankündigen. So ließe sich wohl ein Weg finden, die Brautleutetage aus der Einförmigkeit herauszuführen, in die sie allmählich geraten. Zusätzlich ergäben sich wertvolle pastorale Möglichkeiten für Kontakte, die man in Familiengruppen und -kreisen und in Gesprächsrunden fortführen könnte. Der Priester aber hätte wieder die Chance, an der Basis Seelsorge zu treiben.

Diese Anliegen im Pfarrgemeinderat vorzutragen und entsprechende Maßnahmen zu planen, wäre sicher eine der wichtigsten Aufgaben für eine positive Entwicklung einer Familienarbeit in der Gemeinde.

3.4. *Ehebegleitende Bildung*

Sind Ehepaare — vielleicht auch durch ein »sympathisches« Ehevorbereitungs-Seminar — positiv zur Kirche und zur Gemeinde eingestellt, so sind sie auch leichter bereit, sich für weitere Bildungsangebote zu interessieren oder sich sogar dafür zu engagieren. Damit wäre ein »natürlicher« Übergang von der Jugendarbeit zur ehebegleitenden Bildung geschaffen, an dem es den kirchlichen Bemühungen der Ehe- und Familienbildung und der Familienpastoral ja leider oft fehlt.

Es bieten sich neben Familienkreisen und -gruppen hier besonders EHE-SEMINARE mit vier bis sechs Abenden an. Eine Handreichung für die Planung eines solchen Seminars ist im Anhang zu finden.

Fragen des ehelichen Lebens sollten in eigenen Seminaren — also gesondert von Erziehungsproblemen — viel häufiger als bisher behandelt werden, weil das Gelingen ehelichen Zusammenlebens erst die Grundlage einer guten Erziehung bildet.

Andererseits sind aber Fragen der Erziehung besonders für junge Ehepaare so interessant, daß gerade Gemeinden oder Bildungswerke, die bisher weniger Erfahrung in diesem Bereich haben, mit einem Erziehungsseminar einen guten Anfang machen können. Auch hierfür sind Handreichungen im Anhang zu finden. Zur weiteren Vertiefung können sogenannte Schwerpunkt-Seminare durchgeführt werden (vgl. Anhang).

B Ehe- und Familienseelsorge

Was Seelsorge eigentlich bedeutet ist heute lange nicht mehr so klar wie früher. Mit dem Abbau des Leib-Seele-Dualismus wird Seelsorge immer mehr Sorge um den ganzen Menschen, Bemühung um sein Heil (»Heilssorge«), um sein Glück.
Trotzdem dürfte die Eingrenzung und Zuordnung einiger Möglichkeiten der Familienarbeit in der Gemeinde zur speziellen Ehe- und Familienpastoral ihre Berechtigung haben. (Daß diese Gliederung in vier Teilbereiche nur eine Hilfe zur besseren Übersicht sein will und im Grunde die einzelnen Aspekte sehr eng miteinander verflochten sind, wurde bereits gesagt.)

Hier einige Anregungen:

1. Kinder-, Jugend- und Familiengottesdienste

Es liegt im Interesse der Eltern, die am Leben ihrer Gemeinde teilnehmen, daß ihre *Kinder* Gottesdienst so erleben, daß sie sich darüber freuen können und gerne hingehen.
Wo aber Kinder an Erwachsenengottesdiensten teilnehmen »müssen«, werden sich oft Schwierigkeiten einstellen. Wie kommt es aber in einer Gemeinde zu ansprechenden Kindergottesdiensten, besonders dann, wenn nur *ein* Priester zur Verfügung steht?
Der Pfarrgemeinderat — der Sachausschuß »Ehe und Familie« oder »Liturgie« — könnte einige interessierte und befähigte Eltern ausfindig machen, die einen Arbeitskreis bilden und regelmäßige Kindergottesdienste vorbereiten und auch selbst durchführen.

Die Situation stellt sich für *Jugendliche* kaum anders. Auch für sie müßten eigene Formen gesucht, aber auch zugelassen werden. Im Vergleich zum Kindergottesdienst wäre aber für die Vorbereitung wichtig, daß Erwachsene ihre Aufgabe hier nur im Anregen sehen sollten. Man sollte nichts unversucht lassen, die Initiative und Verantwortung immer mehr den Jugendlichen zu überlassen.

Familiengottesdienste könnten eigentlich alle Gemeindegottesdienste sein. Jüngere Familien zeigen aber oft Interesse an einem Gottesdienst, der in einer etwas persönlicheren Atmosphäre stattfindet und den sie selbst mitgestalten können. In manchen Gemeinden wird ein regelmäßiger Gemeindegottesdienst, zum Beispiel am Samstagabend, von Familiengruppen oder vom Familienkreis gestaltet. (Siehe Literaturhinweise)

2. Hinführung zu den Sakramenten durch Eltern

Schon seit einiger Zeit wird Unbehagen laut über die klassenweise Hinführung der Kinder zu den Sakramenten. Das gilt für das Bußsakrament, besonders aber auch für die Eucharistie. Die Eucharistiefeier lebt aus der Gemeinschaft; deshalb sollte auch die Vorbereitung der Kinder gemeinschaftsbezogen sein. Die Gruppenarbeit erweist sich als »goldener Mittelweg« zwischen einer unpersönlichen Massenunterweisung und einer allzu persönlich gefärbten Einzelunterweisung, die im übrigen auch vom Praktischen her kaum durchführbar ist.

Die sogenannten »Kommunionkinder« werden in Gruppen von acht bis zehn Kindern eingeteilt und von einer Mutter oder einem Vater als Katecheten unterwiesen. Die Gruppen treffen sich in der Regel einmal wöchentlich nach Möglichkeit in Privatwohnungen (notfalls auch in Pfarr- oder Schulräumen).

Der Pfarrgeistliche könnte sich auf die sachliche Einführung und Betreuung der Katecheten (etwa vier bis sechs Zusam-

B

menkünfte), die Gestaltung der gemeinsamen Kindergottesdienste und auf das Gespräch mit den Eltern konzentrieren. Grundprinzip eines solchen eucharistischen Kurses ist das gemeinschaftliche Gespräch

— des Geistlichen mit dem Katecheten
— des Geistlichen und der Katecheten mit den Eltern
— des Geistlichen und der Katecheten mit den Kindern
— der Kinder in der Familie

Hierdurch ist für die Gemeinde zu erhoffen

— eine intensive sowohl individuelle als auch gemeinschaftliche Vorbereitung der Kinder auf die Eucharistie, als Einführung in das Gemeindeleben schlechthin;
— im Laufe von wenigen Jahren ein wesentlicher Beitrag zur Verlebendigung der Pfarrgemeinde.

Von Jahr zu Jahr sollten neue Mitarbeiter aus dem Kreis der Eltern der »Kommunionkinder« gewonnen werden. Sie werden vom Priester theologisch und von einem Pädagogen (oder ebenfalls vom Priester) didaktisch und methodisch angeleitet. So entstehen mit der Zeit geschulte Katechetenkreise. Die religionspädagogische Arbeit mit den Kindern wird intensiviert und die Eltern sind in kleineren Gruppen leichter ansprechbar.

Die Katecheten sollten den Kontakt zu ihren Gruppen über das Eucharistische Einweisungsjahr hinaus erhalten. Konkrete Ansätze bieten die Bußerziehung (im darauffolgenden Jahr) und die Vorbereitung auf die Firmung, bei der die Katecheten auch sinnvoll als Firmpaten fungieren könnten.

Für diese Arbeit gibt es schon einige Hilfen, denn ohne eine entsprechende Vorlage wird eine solche Kommunionvorbereitung zu unübersichtlich.

Als Beispiel könnte die Werkmappe »Jesus ruft uns — ein Vorbereitungskurs zur Erstkommunion« dienen. In dieser Mappe sind 12 Katechesen vorgelegt, die den Eucharistieempfang vorbereiten, und zwei Katecheten, die nach der »Erstkommunion« mit den Kindern gehalten werden können. Ein Wiederholungsquiz schließt den Gesamtkurs ab.

Der Sachausschuß Ehe und Familie im Pfarrgemeinderat könnte überlegen, ob es nicht einige Eltern in der Pfarrgemeinde gibt, die einen solchen Kurs halten könnten. Wenn der Versuch gelingt, wäre das nicht nur zum Vorteil der Kinder, sondern sicher auch der ganzen Gemeinde. (Siehe Literatur-Verzeichnis.)

In ähnlicher Weise könnte auch die Vorbereitung auf das Bußsakrament und die Firmung erfolgen.

3. Brautunterricht — Traugespräch

Die Einrichtung des »Brautunterrichts« — mancherorts auch »Traugespräch« genannt — ist eine traditionsreiche kirchliche Übung. Sie ist aus dem pastoralen Bemühen erwachsen, die »Brautleute« mit der Sicht der Kirche zu Ehe und Familie vertraut zu machen. (Vergleiche A 3.3. — Ehevorbereitende Bildung —.)

Heute geht es aber um die Frage, welche Dienste die Kirche den jungen Menschen anbieten kann.

- Wenn wir auch die Gestaltung von Ehevorbereitungskursen von der Gemeinde her kaum beeinflussen können, wäre doch eine Werbung für sinnvolle Kurse sicher eine Möglichkeit für den Pfarrgemeinderat, bzw. den »Sachausschuß Ehe und Familie«.
- Eine andere Möglichkeit wäre: Das Brautgespräch könnte in Gruppen von zwei bis drei Paaren versucht werden, wenn es gelingt, daß die Paare nicht erst kurz vor der Hochzeit ins Pfarrhaus kommen. (Das ist aber weitgehend eine Frage der Organisation.)

  Zu diesem Gespräch beim Pfarrer könnte auch jeweils ein Ehepaar aus der Gemeinde hinzukommen, das aus seiner Sicht die Ehe- und Erziehungsfragen beleuchten

B

kann. Vielleicht ist es sinnvoll, über diesen Vorschlag im Pfarrgemeinderat, bzw. im Sachausschuß »Ehe und Familie« zu sprechen.

4. Taufgespräche

Das Taufsakrament ist durch das Konzil und die daraus entstehenden Impulse wieder mehr in den Mittelpunkt der Pastoral gerückt. Die Vorbereitung auf die sinnvolle Spendung der Taufe soll verstärkt zu einer gemeinsamen Aufgabe des Seelsorgers und der Eltern werden. Darum ist seit dem 1. 10. 1972 das »Taufgespräch« von der Deutschen Bischofskonferenz verpflichtend eingeführt worden. Der Sinn der Kindertaufe und der Auftrag der Eltern und Paten für die christliche Erziehung ihrer Kinder gehören zu den Themen eines solchen Taufgesprächs.
Was kann der Pfarrgemeinderat in diesem Zusammenhang tun?

- Ein Gespräch im Pfarrgemeinderat über die Taufe könnte bei den Mitgliedern die Ziele und Inhalte heutiger Taufpraxis bewußt machen (wie überhaupt fast alle Maßnahmen und Aktionen durch ein tieferes Verständnis der Hintergründe fundiert werden sollten!).
- Der Sachausschuß »Ehe und Familie« im Pfarrgemeinderat könnte Überlegungen anstellen, ob in der Gemeinde Eltern wohnen, die fähig und bereit wären, an »Taufgesprächen« teilzunehmen. Sie könnten dort aus ihrer praktischen Erfahrung mit der christlichen Erziehung ihrer Kinder berichten, nicht um »Formen wie Rezepte weiterzureichen«, sondern um den Eltern des Täuflings ihre Auffassung von christlicher Erziehung darzulegen.
- Der Pfarrgemeinderat könnte versuchen dazu beizutragen, daß in der Gemeinde das Bewußtsein von der Verantwortung aller für die getauften Kinder wächst. (Planung und Mithilfe bei der Vorbereitung von Tauffeiern.)

5. Pastorale Dienste der Kirche an Ehe und Familie

Im Bereich der kirchlichen Ehe- und Familienpastoral wären vielleicht folgende Schwerpunkte zu setzen:

5.1. *Ehe zwischen Ideal und Wirklichkeit*

Die anthropologisch-psychologischen sowie soziologischen Aspekte von Ehe und Familie müssen mehr als bisher in unser Denken einbezogen werden. Erst auf einer positiv verstandenen Partnerbeziehung kann eine christliche Ehetheologie aufbauen (dem liegt eine sehr alte, traditionelle, kirchliche Lehrmeinung zugrunde!). Kirchliche Ehemoral und Kirchenrecht werden heute oft als Überforderung empfunden und dann einfach »in Bausch und Bogen« abgelehnt. Wenn die kirchliche Ehepastoral — vielleicht über lebendige Pfarrgemeinderäte — wieder deutlicher die »Normalehe« mit ihren Problemen und Konflikten im Mittelpunkt sieht, werden sich die Ehepaare wieder leichter mit der Kirche identifizieren können.

5.2. *Bekenntnisverschiedene Ehen*

In den Kirchen wird heute gesehen, daß es wichtiger ist, Hilfen zu geben als Forderungen aufzustellen. Das kann man aus den neuen Regelungen für den Abschluß konfessionsverschiedener Ehen (ab 1. 10. 1971) deutlich herauslesen. Dadurch sind zwar nicht alle Schwierigkeiten beseitigt (man hätte sich eine günstigere Lösung vorstellen können), aber bei entsprechnder Handhabung ist doch große Erleichterung geschaffen worden. Die Arbeitsgruppe »Ehe und Familie« im Pfarrgemeinderat könnte — wenn sie sich um entsprechende Informationen bemüht — hier einen Beitrag zur ökumenischen Annäherung leisten (z. B. Auslage von Informationsprospekten im Schriftenstand; siehe Literatur-Verzeichnis).

5.3. *Wiederverheiratete Geschiedene in der Gemeinde*

Die Frage, ob wiederverheiratete Geschiedene zu den Sakramenten zugelassen werden sollen, wird heute stark diskutiert — nicht zuletzt in der Synode. Wer Ehe und Familie im Pfarrgemeinderat vertritt, sollte sich — wenn irgend möglich — auch mit diesen Problemen befassen. Dabei sollte man sich wohl nicht so sehr von rechtlichen Denkweisen als von pastoralen Überlegungen bestimmen lassen. Auf eine rechtliche Regelung wird man sicher noch warten müssen. Was aber auch hier erforderlich ist, ist eine echte Meinungsbildung, um einerseits zu verhindern, daß mit einer Wiederaufnahme wiederverheirateter Geschiedener in die kirchliche Gemeinschaft (in geprüften Einzelfällen) das Ideal der Unauflöslichkeit der Ehe total in Frage gestellt wird, und um andererseits der allzu »moralischen« Beurteilung derer, die an ihrer Ehe gescheitert sind, durch die sogenannten »Guten« entgegenzuwirken, einer Beurteilung, die vielfach zu einem Verhalten führt, das nur als skandalös bezeichnet werden kann.

5.4. *Synoden-Sachkommission IV — Ehe und Familie*

Die gemeinsame Synode der Bistümer in der Bundesrepublik Deutschland hat sich zur Aufgabe gemacht, die Ziele des 2. Vatikanischen Konzils in deutsche Verhältnisse zu übertragen. Auch für den Sachbereich Ehe und Familie sind von dort wichtige Veränderungen zu erwarten.

- Für die Arbeitsgruppe Ehe und Familie im Pfarrgemeinderat ist die Verbindung zu den Arbeiten der Sachkommission IV unerläßlich. Deshalb sollte mit dem Synodenbüro des Bistums ständig Kontakt gehalten werden.
- Die nötigen Informationen können aus den amtlichen Mitteilungen SYNODE bezogen werden, die den Pfarrern und den Pfarrgemeinderats-Vorsitzenden kostenlos

zugestellt werden (zu erhalten über das Synodenbüro des Bistums). **B**

- In den Familiengruppen und -kreisen könnten die bearbeiteten Themen durchgesprochen und die Ergebnisse über das Synodenbüro an die Synode weitergereicht werden.
- Nicht zuletzt sollte aber der Sachausschuß Ehe und Familie im Pfarrgemeinderat sich ständig um die Informationen und Meinungsbildung in dieser Hinsicht bemühen (z. B. Impulse im Pfarrgemeinderat — Information im Pfarrbrief — Predigtthema usw.).

5.5. *Elternbriefe DU und WIR*

Seit dem 1. 10. 1967 erscheint eine Reihe von insgesamt 24 Briefen, die fortlaufend alle Vierteljahre an die katholischen Eltern der Bundesrepublik Deutschland gesandt werden, die ein Erstkind taufen lassen. Die Elternbriefe werden den Eltern als Geschenk des Bischofs überreicht. Sie sollen ihnen von der Taufe bis zur Einschulung des Kindes Erziehungshilfen an die Hand geben. Die Deutsche Bischofskonferenz hat für das Unternehmen nicht nur den Auftrag gegeben, sondern auch die Kosten übernommen. Herausgegeben werden die Briefe vom Katholischen Zentralinstitut für Ehe und Familie, 5 Köln, Hohenzollernring 38/40 (Sie können dort bestellt werden).

Jeder »Elternbrief« umfaßt acht Seiten, humorvoll illustriert und so flüssig geschrieben, daß er von den Eltern oft in einem Zug durchgelesen wird. Das Erscheinen in Vierteljahresabständen sichert den Briefen eine tiefgehende Wirkung; denn auf diese Weise können sie immer auf eine aktuelle, für Eltern oft unbekannte und zu meisternde Situation eingehen und sie bei ihren Erziehungssorgen und -aufgaben wirklich begleiten.

Die religiösen Themen sind organisch in die übrigen

Ausführungen eingebunden. Hier steht die Religion nicht *neben* der menschlichen Wirklichkeit, sondern wird als deren Tiefendimension sichtbar gemacht. Es wird nicht »auch noch« eine in sich selbst ruhende religiöse »Botschaft« an den Mann gebracht, vielmehr werden mitten im Leben und aus dem Leben die religiösen Bezüge der Elternschaft und ihres Alltags aufgezeigt.

Diese Briefe helfen nicht nur zu einer lebensnahen Glaubenssicht, sie sind auch ein erster, großangelegter Versuch, mit dem außerliturgischen pastoralen Bemühen nicht nur beim Kindergarten und in der Schule, sondern in der Familie selbst anzusetzen. Man versucht jenen Lebensbereich zu betreuen, von dem für Eltern und Kind die stärkste Prägekraft ausgeht, in dem sie am vitalsten engagiert sind. Die Chancen einer solchen modernen Familienpastoral wurden leider erst spät erkannt und werden noch heute lange nicht genügend genützt. Sozialpsychologische Untersuchungen bestätigen, daß die religiöse Haltung eines Menschen in erster Linie von den Eltern, dann von persönlicher Reflexion und erst an dritter Stelle von der Schule abhängt. Auch nimmt das religiöse Interesse der Eltern in dem Augenblick zu, wo sie einem Kind das religiöse Erbe zu überliefern und sich auf dessen Wert zu besinnen haben.

Die Verteilung der Elternbriefe erfolgt so: Die Pfarrgemeinde bestellt beim Einhard-Verlag, 51 Aachen, Postfach 1426, den Elternbrief Nr. 1 und Meldekarten. Als Richtzahl für die Bestellung kann die durchschnittliche Anzahl der jährlichen Erstgeborenen-Taufen dienen. Der Elternbrief bzw. der »Taufbrief« wird den Eltern eines Erstgeborenen kurz nach der Geburt oder bei der Taufe überreicht. Die Meldekarte wird vom Pfarrbüro ausgefüllt und an den Einhard-Verlag geschickt. Alle weiteren Elternbriefe werden dann vierteljährlich direkt vom Verlag zugeschickt. (Manche Gemeinden verteilen allerdings auch die folgenden Briefe selbst!)

In Pfarrgemeinden, in denen diese Aktion noch nicht läuft, sollte sich der Familienbeauftragte der Sache unbedingt annehmen.

(In den Handreichungen »Neue Gespräche« erscheinen regelmäßig Gesprächsvorlagen für die Arbeit mit den Elternbriefen in Elterngruppen und Gesprächskreisen — siehe dazu A 2.6.)

6. Tage der Lebensorientierung für Ehepaare

In vielen Ehen bemühen sich die Partner, nicht nur ihr persönliches, sondern auch ihr gemeinsames Leben aus dem Glauben heraus zu gestalten, und sie sind dankbar für Hilfen und Anregungen.

Eine solche Hilfe stellen die »Tage der Lebensorientierung« dar, die schon da und dort veranstaltet werden — und wo dies noch nicht der Fall ist, könnte man dazu anregen. Für ein Wochenende oder auch für eine ganze Woche findet sich eine Gruppe von Ehepaaren zusammen, um durch das gemeinsame Bemühen zu einem intensiveren Leben aus dem Glauben zu gelangen. Dabei spielt, neben den Vorträgen, das Gespräch eine entscheidende Rolle. Die Einladung wird sich in der Regel an Paare richten, die sich in der gleichen »Altersphase der Ehe« befinden (bis 5 Jahre, 6 bis 15 Jahre, über 15 Jahre). Gerade für Familiengruppen, die sich schon gut zusammengelebt haben, sind solche »Tage der Lebensorientierung« oft eine willkommene Vertiefung ihrer Gemeinsamkeit.

7. Familiensonntage — Besinnungstage

Für manche Ehepaare und Familien sind die genannten »Tage der Lebensorientierung« aus dem einen oder anderen Grunde zu »intensiv«, obwohl, vor allem in Familienkreisen und -gruppen, der Wunsch nach einer Vertiefung des Miteinander vorhanden ist. Doch läßt sich auch schon an »Familiensonn-

tagen« — also eintägigen Veranstaltungen — manches erreichen. Dabei findet man sich an einem schönen, ruhigen Ort zu einem Gedankenaustausch über Lebens- und Glaubensfragen zusammen. Die Gespräche — morgens und mittags je zwei Stunden (für gute Kinderbetreuung während dieser Zeit muß gesorgt sein) — können wichtige Impulse für die weitere Arbeit in den Familiengruppen und für das Zusammenleben geben. Das gilt besonders dann, wenn das Vorbereitungsteam oder der Referent entsprechende Arbeitshilfen anbietet und mitgibt.
Es könnte eine dankbare Aufgabe für die Arbeitsgruppe »Ehe und Familie« im Pfarrgemeinderat sein, solche »Familiensonntage« — vielleicht in Zusammenarbeit mit der Arbeitsstelle des Bistums — anzuregen.

Familienhilfe- Soziale Familienarbeit

C

Selbstverständlich ist jedes Angebot im Bildungsbereich oder in der Familienpastoral eine echte »Familienhilfe«. Hier ist unter Familienhilfe im engeren Sinn aber mehr die soziale Dimension gemeint, also die Hilfe bei inneren und äußeren Lebensproblemen. Leider wird oft erst in äußersten Grenzsituationen von diesem Angebot Gebrauch gemacht. Dies ist zum Beispiel dort zu beobachten, wo die Eheberatung erst als letzter Versuch vor der Scheidung aufgesucht oder wo die Familienerholung als letzte Rettung vor dem körperlichen oder seelischen Zusammenbruch in Anspruch genommen wird.

1. Soziale Familienarbeit

Sehr viele Dienste der kirchlichen Sozialarbeit, die in großem Umfang vom Deutschen Caritasverband getragen wird, kommen der Familie zugute.

Es sind nicht nur die Familien ausländischer Arbeitnehmer oder die Obdachlosen am Rande der Städte, die in Not geraten sind. Es sind Familien aus allen Schichten der Bevölkerung, die bedingt durch die heutigen Lebensumstände in ganz spezifische Notsituationen kommen können. Not und Armut sind in unserer Gesellschaft kaum kleiner geworden, trotz aller Bemühungen der Sozial- und der Familienpolitik. Insbesondere gilt dies für seelische Nöte, die mitten im Wohlstand sogar eher zu- als abnehmen. Sie werden mehr und mehr bewußt.

Dieser Sachbereich wird von vielen Pfarrgemeinderäten wirklich ernst genommen und — in den meisten Fällen — von einer Arbeitsgruppe »Caritas — Soziale Dienste« betreut. (Wir können hier auf den Abschnitt C — Caritas — Diakonie — Sozialdienst — des ersten Bändchens der Reihe PFARREI HEUTE »Was tun im Pfarrgemeinderat?« verweisen. Außerdem wird in dieser Reihe bald ein eigenes Bändchen zur kirchlichen Sozialarbeit erscheinen.)

Deshalb beschränken wir uns hier auf einige Stichworte für besonders familienbezogene Anregungen:

- Babysitter-Dienst — »Kinderpark«
- Hausaufgabenbetreuung
- Familienpflege
- Ferienwerk und andere Erholungsmaßnahmen (Beratung und Informationsstelle in der Gemeinde)
- Familien in wirtschaftlicher Not (Sozialhilfe-Beratung)
- Familien in Wohnungsnot
- Familien mit behinderten Angehörigen

2. Ehe- und Familienberatung

In den meisten Bistümern sind von kirchlicher Seite Ehe- und Erziehungsberatungsstellen eingerichtet worden. Aufgabe der Pfarrgemeinde wäre es

- zu informieren über dieses Angebot und über die eigentlichen Ziele der Beratungsstellen
- bekanntzumachen, wann und wo Beratungsstunden stattfinden
- die Einrichtung von Beratungsstunden in der Pfarrgemeinde selbst oder im nächstgelegenen größeren Ort anzuregen
- Kontakte mit der zentralen Beratungsstelle des Bistums aufzunehmen.

2.1. *Was will die Eheberatung?*

C

Schwierigkeiten mit der Gestaltung der ehelichen Partnerschaft hat heute nahezu jeder. Niemand braucht sich deshalb zu scheuen, auch einmal das Gespräch mit einem fachkundigen Eheberater zu suchen. Die Partner können daher lernen, aus ihrer Ehe das Beste zu machen. Sie können erreichen, daß das Zusammenleben für sie beide befriedigender wird. Dafür ist jedoch die aktive Mitarbeit im Verlauf der Beratung notwendig. Denn für eine glückliche Ehe muß vieles oft schrittweise und mühsam mit gegenseitiger Hilfe eingeübt werden; zum Beispiel:

- verschwiegene Wünsche äußern
- Ärger ausdrücken, ohne zu verletzen
- über wichtige Dinge offen miteinander reden
- Ängste mildern
- gemeinsam planen
- sich gegenseitig bestätigen
- Kompromisse aushandeln, bei denen keiner zu kurz kommt
- eine gute sexuelle Beziehung zueinander aufbauen.

Während man solche neuen Möglichkeiten des Umgangs mit dem Partner entdeckt und einübt, machen viele die Erfahrung, daß Gefühle füreinander, die verschüttet waren, wieder lebendig werden. Denn auch bei schwerem Streit und großen Mißverständnissen brauchen sie nicht erloschen zu sein.

Dieser Prozeß kommt am ehesten in Gang durch Beratungsgespräche, die sich mehr mit der Zukunft als mit der Vergangenheit der Partnerbeziehung beschäftigen.

Für eine wirksame Verbesserung der ehelichen Beziehungen ist es von größtem Vorteil, wenn beide Partner an der Beratung teilnehmen. (Es sind aber auch Einzelgespräche möglich und manchmal sogar sehr ratsam.) Eine einigermaßen dauerhafte Hilfe erfordert mehrere Bera-

C

tungsstunden, im allgemeinen etwa zehn bis fünfzehn. Bei engagierter Mitarbeit der Ratsuchenden kann gelegentlich schon in wenigen Sitzungen eine gute Problemlösung erarbeitet und verwirklicht werden.

2.2. *Was will die Erziehungsberatung?*

Nicht jeder Mensch hat von vornherein das Talent, ein guter Vater, eine gute Mutter zu sein. Hilfen, sich auf diesen »Beruf« vorzubereiten, werden noch nicht ausreichend — und oft nicht qualifiziert genug — angeboten. Außerdem herrscht die Meinung vor, »das wird schon gut gehen!«

So entstehen um so leichter Konflikte und Krisen fast in jeder Partnerbeziehung und eben auch in vielen Erziehungssituationen.

Leider ist auch in diesem Bereich eine große Scheu vorhanden, sich mit seinen Problemen rechtzeitig an fachkundige Berater zu wenden, also bevor sich bedenkliche Verhaltensweisen eingeschliffen haben. Vielleicht sind aber auch manchmal Zweifel an der Qualifikation der Berater die Ursache für das lange Zögern. In den meisten Fällen handelt es sich aber um Menschen, die Kontaktfähigkeit, Beweglichkeit, soziale Reife und Einfühlungsvermögen in menschliche Problemsituationen mit reicher Erfahrung verbinden können. Bei speziellen Problemen kann weiterverwiesen werden an Fachleute aus dem Berater-Team (z. B. Psychotherapeuten, Juristen, Theologen, Sozialarbeiter usw.). Die Berater sind selbstverständlich zu strengem Stillschweigen verpflichtet.

Die Ehe- und Familienprobleme sind sehr komplex. Es gibt kaum Erziehungsprobleme, hinter denen nicht auch in irgendeiner Form Ehekonflikte stecken und umgekehrt. Aus diesem Grund wird auch versucht, Ehe- und Erziehungsberatung unter der Bezeichnung »Ehe- und Familienberatung« zusammenzufassen. Dahinter steht die Erkenntnis, daß Lebensprobleme eines Menschen nur im Zusammenhang mit seiner sozialen Umwelt — in erster Linie seiner Familie — gesehen und gelöst werden können.

3. Erholung für die Familie

Urlaub und Erholung könne heute nicht mehr als Luxus bezeichnet werden. Gemeinsamer Urlaub von Vater, Mutter und Kindern — besonders wenn es mehr als drei Kinder sind — ist aber noch keine Selbstverständlichkeit.
Was den Menschen unserer Tage not tut, ist nicht Zerstreuung, sondern Sammlung. Wir brauchen, um inmitten aller Geschäftigkeit unseres Daseins das Gleichgewicht zu behalten, den stillen Feierabend, das Wochenende und die stillen Ferienwochen. So gesehen wird der gemeinsam verlebte Urlaub zu einem Stück Lebensgestaltung, zu einer Hilfe, um im ruhelosen Getriebe unserer Zeit bestehen zu können.
Obwohl in den meisten Bundesländern und auch von manchen kommunalen Stellen Zuschüsse gegeben werden, sind Familienferien dieser Art, wie sie auch von kirchlicher Seite angeboten werden, noch zu wenig bekannt.

- Der Pfarrgemeinderat muß auch hier meinungsbildend wirken
- und, wenn möglich, auch Werbeaktionen fördern.

Informationen können von den Arbeitsstellen des Bistums, vom jeweiligen Caritasverband oder direkt vom Katholischen Arbeitskreis für Familienerholung, 5 Köln 1, Brüsseler Straße 25, bezogen werden.

3.1. *Was will die Familienerholung?*

Die Familienerholung in dieser Form will

- Einrichtungen anbieten, die Familien — vorzugsweise den kinderreichen Familien — ohne soziale Deklassierung einen gemeinsamen Urlaub ermöglichen.

- Dieses Angebot soll gleicherweise der physischen und psychischen Regenerierung von Eltern und Kindern dienen.
- Durch Ruhe und Muße kann auch das eheliche Gespräch neuen Auftrieb erfahren.
- Die Mütter sind von häuslicher Arbeit entlastet.
- Es stehen geeignete Fachkräfte zur Betreuung der Kinder und Jugendlichen zur Verfügung.

3.2. *Kinder- und Müttererholung*

In diesen Bereich gehören auch Erholungsmaßnahmen für Kinder und Mütter (auch Stadtranderholung).
Der »Familienbeauftragte« kann sich hier beim zuständigen Caritasverband Informationen einholen.

Familienpolitik D

Es ist schwierig, die Ziele der Familienpolitik in wenigen Sätzen zu formulieren. Trotzdem soll es versucht werden, um wenigstens umrißhaft einen Hintergrund für die Arbeit im Pfarrgemeinderat zu skizzieren:

- Familienpolitik ist ein zentraler Bestandteil der Gesellschaftspolitik. Sie darf sich nie als »Bevölkerungspolitik« mißverstehen.
- Familienpolitik sollte die Emanzipation des Menschen zum Ziel haben und einer besseren personalen, und das heißt auch sozialen Entfaltung der einzelnen Familienmitglieder dienen.
- Familienpolitik sollte bewußt vom Wohl des Kindes her konzipiert sein.
- Eine rationale — nicht ideologieverdächtige — Familienpolitik versucht deshalb die Lebensbedingungen in Familien und Gesellschaft so zu gestalten, daß
  - die Ehepartner Raum für eine optimale Selbstentfaltung und Entwicklung ihrer Partnerbeziehung finden,
  - und die Familie in die Lage versetzt wird, ihre Erziehungsaufgabe so gut wie möglich zu erfüllen.

Was kann der Pfarrgemeinderat in diesem Sachbereich praktisch tun?

Vieles wird zweifellos der »großen Politik« überlassen bleiben müssen, aber »oben« geschieht oft nichts, wenn von »unten« keine Anstöße kommen.

Auf der Ebene der Pfarrgemeinde gibt es durchaus Möglichkeiten zu »familienpolitischen Aktionen« (1). Darüber hinaus dürfte es eine wichtige Aufgabe sein, die Meinungsbildung zu allen Fragen der Familienpolitik in der Gemeinde zu fördern (2.). Für die Arbeit in beiden Aufgabenbereichen, die sich natürlich nicht scharf voneinander trennen lassen, seien hier einige Anregungen gegeben.

1. Anregungen für Aktionen des Pfarrgemeinderates im familienpolitischen Bereich

- *Bemühung um finanzielle Förderung* (Gemeinde, Landkreis) für Maßnahmen der Familienbildung, -beratung und sozialer Dienste für die Familie.
- *Zusammenarbeit zwischen Elternhaus und Schule bzw. Kindergarten*
  - Pfarrgemeinderats-Mitglieder sollten in den Elternbeiräten vertreten sein
  - Elternabende können vom Kindergarten, von der Schule, von den Elternbeiräten, evtl. aber auch vom Pfarrgemeinderat angeregt werden
  - Förderung der Kontakte zwischen Eltern und Lehrern
- Angebote und/oder *Vermittlung von Beratung* in Ehe-, Familien- und Erziehungsfragen (siehe C 1—3)
- *Integration* von Familien ausländischer Arbeitnehmer und anderer gesellschaftlicher »Randgruppen« in die Gemeinde durch
  - persönliche Kontakte
  - Gemeinschaftsabende
  - Hausbesuche
  - Beratungen
- Anregung von *Freizeiteinrichtungen* für Familien und Kinder (Spiel- und Bolzplätze)
- Einrichtung und Führung von *Familienpflegestationen*
- *Zusammenarbeit mit dem Familienbund* der Deutschen

Katholiken, 8 München 15, Pettenkoferstr. 8, und evtl. auch anderen Familienverbänden. **D**

- *Informationsveranstaltungen* und *Verbreitung von Druckschriften zur Meinungsbildung* über familienpolitische Fragen und über gesetzgeberische Initiativen in diesem Bereich. (In einem weiteren Sinn können alle Veranstaltungen der Ehe- und Familienbildung auch als familienpolitische Maßnahmen verstanden werden, da sie mit dazu beitragen, den gesellschaftlichen Stellenwert von Ehe, Familie und Kind zu verbessern.)

  Eine Übersicht über die wichtigsten Fragen, zu denen auf Gemeindeebene eine Meinungsbildung stattfinden kann und sollte, gibt der folgende Katalog.

2. Katalog familienpolitischer Themen zur Meinungsbildung auf Gemeindeebene

- *Wohnungs- und Städtebau*

  Familiengerechter Wohnungsbau (Alleinstehende, Kleinfamilien, kinderreiche Familien) — Modelle für neue Wohnformen — Grünflächen, Spiel- und Sportanlagen — Freizeiteinrichtungen — Naherholungsgebiete für Großstädte — Maßnahmen zum Umweltschutz (Verkehrslärm, Luft- und Wasserverschmutzung)

- *Kindergarten und Vorschule*

  Gesetze — Finanzausschüsse für die Träger — Aus- und Weiterbildung der Fachkräfte — Verringerung der durchschnittlichen Gruppenstärke durch vermehrte Personaleinstellung — begleitende Maßnahmen der Elternbildung — Verstärkung der Mitgestaltungs- und Mitbestimmungsrechte der Eltern

- *Grundschulen und weiterführende Schulen*

  Modelle der Ganztagsschulen — stärkere Mitgestaltungs- und Mitbestimmungsrechte des Elternbeirats —

D

Schulgeld-, Lernmittel- und Fahrtkostenfreiheit — Unfallschutz für Schüler

- *Probleme der Lehrlingsausbildung*
- *Berufsbegleitende Bildung*
- *Einrichtungen des 2. Bildungsweges*
- *Schaffung von Erwachsenenbildungsgesetzen in den Ländern*
- *Förderung und Ausbau der Ehe- und Familienberatungsstellen* zur psychologischen und gesundheitlichen Beratung — zur hauswirtschaftlichen Beratung (Verbraucherpolitik)
- *Förderung des Ausbaus von Hauspflege- und Familienpflegediensten* (Sozialdienste)
- *Erholungsmaßnahmen*

  Finanzielle Förderung von Kinder-, Mütter- und Familienerholung — Freizeiteinrichtungen für Familien
- *Gesetzesreformen*

  Ehegesetz (Versorgungsausgleich) — § 218 — Adoptionsrecht — Volljährigkeit — Sexualstrafrecht — Miet- und Bodenrecht
- *Wirtschaftliche Sicherung der Familie*

  Familiengerechte Steuergesetzgebung — Familienlastenausgleich (Kindergeld) — Ausbildungsförderung — — Wohngeld — wirtschaftliche Förderung der jungen Ehe und Familie (Heiratssparen, Familiendarlehen) — »Muttergeld« oder »Karenzgeld« (zur Förderung der Kleinstkindererziehung) — Familientarife
- *Familiengerechte Sozialversicherung*

  Krankenversicherung und Krankengeld — Arbeitslosenversicherung — Invaliditäts-, Witwen- und Waisenrente — Altersversorgung (Situation der Frau!)
- *Leistungen aus dem Sozialhilfegesetz*

- *Maßnahmen zur Integration von Familien ausländischer Arbeitnehmer* und anderer »gesellschaftlicher Randgruppen«

- *Verbesserung der Grundlagen der Familienpolitik*
  Intensivierung der wissenschaftlichen Forschung durch Ausbau geeigneter Forschungsstellen (Forschungsgegenstände: Partner-, Erziehungs- und Freizeitverhalten, Probleme der sozialen Mobilität, Situation ausländischer Arbeitnehmer und ihrer Familien, Überprüfung bestehender Einrichtungen und Angebote auf ihre Effektivität) — Stärkere Kooperation zwischen den bestehenden Familienorganisationen

ANHANG

Modell einer Arbeitsplanung im Pfarrgemeinderat

Im folgenden sei als Modell die Planung einer Großstadt-Randgemeinde vorgestellt. Der Ortsname wurde geändert.

Planung der „Arbeitsgruppe Ehe und Familie" im Pfarrgemeinderat St. Josef — Buchenhausen

Bei einer ersten Besprechung der »Arbeitsgruppe Ehe und Familie« am 20. 5. 1971 wurde als Entwurf folgender Arbeitsplan aufgestellt — zur Besprechung im Pfarrgemeinderat.

I. *Ziel*

Die Arbeitsgruppe will die Anliegen von Ehe und Familie in der Pfarrgemeinde St. Josef — wie auch in der ganzen Gemeinde Buchenhausen fördern und zwar in folgenden Bereichen:

1. Ehe- und Familien*bildung*
2. Ehe- und Familien*seelsorge*
3. Familien*hilfe*
4. Familien*politik*

(Erläuterung unter IV.)

II. *Arbeitsmethode*

1. Beobachtung der Situation (Bedürfnisse)
2. Beurteilung (Analyse)
3. Ausarbeitung von praktischen Vorschlägen zur Vorlage im Pfarrgemeinderat
4. Koordination bzw. Durchführung der beschlossenen Maßnahmen
5. Kontrolle und Auswertung (»Manöverkritik«)

III. *Vorrangige Aufgaben mit Zeitplan*

1. Angebot eines *»Familienkreises«* für die bestehenden Familiengruppen
   a) *Einladung zu einem gemeinsamen Abend* zum Kennenlernen
   Termin: Anfang Juli
   (Dieser »Familienkreis« sollte den einzelnen Gruppen künftig etwa alle 2—3 Monate Veranstaltungen anbieten: z. B. Geselligkeiten, Ausflüge, Besinnungstage, auch Bildungsveranstaltungen usw.)
   b) Vorbereitung eines Wochenendes für 10—12 interessierte Familien in der Wildschönau/Tirol
   Termin: Ende September

2. Anregung eines *Ehe- oder Erziehungsseminars* im Rahmen des BUCHENHAUSENER PODIUMS. (Im Anschluß an die beiden Abende über antiautoritäre Erziehung)
   Termin: Oktober/November

IV. *Aufgabenkatalog für die Zukunft* (»zur Auswahl«!)

Diese Aufgaben werden je nach zeitlichen und personellen Möglichkeiten in Angriff genommen.
Vielleicht macht sich eine der Familiengruppen an die eine oder andere Aufgabe heran.

1. *Aufgaben im Bildungsbereich*
   1. Bildungsinhalte Ehe und Familie im BUCHENHAUSENER PODIUM
   2. Zusammenarbeit mit Kindergarten und Schule wegen Elternabenden
   3. Ausbau des »Familienkreises« als möglicher Mittelpunkt der einzelnen Familiengruppen
   4. Weitere Bildung von Familiengruppen
   5. Unterstützung und Entlastung unseres Pfarrers in der Arbeit an Familiengruppen
      a) durch Besuche von Gruppen
      b) durch Materialhilfen
         z. B. Handreichung »Neue Gespräche«

6. Synoden-Themen und Vorlagen in die Familiengruppen bringen! (»Synoden-Bewußtsein«)
7. Kontakte zu jungen Eheleuten suchen (in den Familienkreis einladen!)
8. Werbung für überpfarrliche Veranstaltungen der Ehevorbereitung, der Ehe- und Elternbildung
9. Information (und Werbung) über die Ehe- und Erziehungsliteratur in der Pfarrbücherei

2. *Spezielle Ehe- und Familienseelsorge*

1. Weiterführung der Familiengottesdienste
2. Durchführung eines »Besinnungs-Wochenendes« (Einkehrtag) in der Gemeinde
3. Werbung für Familien-Exerzitien
4. Mitarbeit in der Sakramentenvorbereitung (Taufgespräch — Hinführung der Kinder zu Eucharistie und Buße)
5. Einladungen an bekenntnisverschiedene Ehepaare Zusammenarbeit mit der evangelischen Gemeinde

3. *Familienhilfe*

1. Verstärkte Information über die Ehe- und Familienberatung
2. Untersuchung der Möglichkeiten der Familienerholung
3. Zusammenarbeit mit dem Sozialdienst Buchenhausen e. V. (Nachbarschaftshilfe — Kinderpark — Schulaufgabenbetreuung)

4. *Familienpolitik*

1. Untersuchung der Möglichkeiten des »Familienbundes der deutschen Katholiken«
2. Kinderspiel- und Bolzplätze in Buchenhausen — Bestandsaufnahme und Vorschläge —
3. Information über den Stand von Kindergarten und Schulhausbau (Einwohner-Entwicklung!)

Dieser Aufgabenkatalog soll eine erste Zusammenstellung der offensichtlichen Notwendigkeiten sein.

Zuerst will sich die »Arbeitsgruppe Ehe und Familie« jedoch den unter 3.1 und 2. genannten Aufgaben widmen, falls nicht der Pfarrgemeinderat anders entscheidet!

Die »Arbeitsgruppe Ehe und Familie« besteht aus folgenden Familien:

(hier folgen die Namen und Anschriften der 5 beteiligten Familien)

Buchenhausen, den 24. 5. 71

AG Ehe und Familie im PGR - St. Josef

Bericht der „Arbeitsgruppe Ehe und Familie" im Pfarrgemeinderat St. Josef – Buchenhausen für das Jahr 71/72

Im Laufe des Monats Mai 1971 entstand nach einigen Gesprächen – zum Teil bei gemeinsamen Sonntagswanderungen – ein Arbeitspapier, das diesem Bericht beiliegt.

Die folgende Information hält sich an die dort unter Punkt III geplanten Aufgaben:

1. *Familienkreise und -gruppen*

   a) Damit sich die Mitglieder der verschiedenen Gruppen besser kennenlernen, haben verschiedene gemeinsame Veranstaltungen dieser Gruppen stattgefunden, u. a. ein »Abend zum Kennenlernen« im Juli 1971, eine gemeinsame Sonntagswanderung, ein Abend mit Lichtbildern über Indien (beide im Herbst vergangenen Jahres) und im Fasching 1972 ein Faschingsabend für die Mitglieder der Familiengruppen.

   b) An einem Sonntag im November 1971 konnten wir einen Besinnungstag über Meditation im Kloster Benediktbeuern mit Herrn Sebastian Painadath SJ durchführen.

   c) Bei der Gründung von weiteren Familiengruppen können Erfolge verzeichnet werden. Es bestehen zur Zeit sieben Familiengruppen in der Gemeinde St. Josef.

2. *Seminar-Arbeit*

   Auf Anregung unserer Arbeitsgruppe fand im Herbst vergangenen Jahres ein Elternseminar im Rahmen des BUCHENHAU-

SENER PODIUMS statt, das an vier Abenden jeweils ca. 40 Teilnehmer hatte.
In Fortsetzung dieses Seminars wird nun seit Januar monatlich eine »Elternrunde« durchgeführt.
Das Seminar als solches fand erfreulicherweise viel Echo bei jungen Eltern.

3. *Familien- und Kindergottesdienste*

Seit Sommer vergangenen Jahres wird monatlich an einem Werktagabend, zuletzt Samstagabend, ein Familiengottesdienst durchgeführt, der besonders für junge Familien mit Kindern gestaltet wird.
Außerdem wird seit einigen Wochen der Versuch gemacht, in einem kindgemäßen Wortgottesdienst im Gemeindesaal die Kinder auf die Eucharistiefeier, die dann gemeinsam mit den Eltern in der Kirche stattfindet, vorzubereiten. Die bisherigen Erfahrungen sind positiv.

Die nun vor uns stehenden Aufgaben werden in den kommenden Wochen in einem ähnlichen Arbeitspapier wie im vergangenen Jahr dem Pfarrgemeinderat vorgelegt. Sie sind dem Aufgabenkatalog (unter Punkt IV der vorliegenden Arbeitsplanung) zu entnehmen und werden in Gesprächen der »Arbeitsgruppe Ehe und Familie« formuliert. (Besonders ein Familien-Besinnungstag bzw. -wochenende ist in Aussicht genommen.)

Buchenhausen, den 10. März 1972

AG Ehe und Familie im PGR - St. Josef

„Arbeitsgruppe Ehe und Familie“ im Pfarrgemeinderat St. Josef — Buchenhausen

Arbeitsprogramm für das 2. Halbjahr 1972

Für grundsätzliche Überlegungen (z. B. wie sich die »Arbeitsgruppe Ehe und Familie« versteht und wie sie arbeiten will) verweisen wir auf unser Planungspapier vom 24. 5. 71, das dem Pfarrgemeinderat vorliegt und folgende Gliederung hat:

1. Ziel
2. Arbeitsmethode

3. Vorrangige Aufgaben mit Zeitplan

4. Aufgabenkatalog für die Zukunft

Das Arbeitsprogramm für das 2. Halbjahr 1972 entspricht dem Punkt III des Planungspapiers »Vorrangige Aufgaben mit Zeitplan«. Es wurde anhand des Punktes IV »Aufgabenkatalog für die Zukunft« erstellt.

Es kann festgestellt werden, daß die geplanten Maßnahmen termingerecht ausgeführt wurden. Für das 1. Halbjahr 1972 wurde dagegen nichts konkret geplant und verhältnismäßig wenig ausgeführt.

Für das 2. Halbjahr 1972 sind nun in den drei Teilbereichen folgende Maßnahmen geplant:

1. FAMILIENBILDUNG

1.1. *Eheseminar innerhalb des BUCHENHAUSENER PODIUMS*

- etwa 4 Abende
- Teilnehmerzahl auf ca. 10 Ehepaare beschränkt
- Versuch einer Voranmeldung mit Zusendung von Arbeitsmaterial

Termin: November 1972

1.2. Intensive Suche nach einem oder mehreren Ehepaaren, die in einem Team sich für die Belange der Familiengruppen einsetzen und den immer wieder sporadisch eingeladenen Familienkreis mit Leben erfüllen.

Das könnte in folgender Form geschehen:

- Unterstützung und Entlastung unseres Pfarrers bei der Gründung und Betreuung von Familiengruppen
- Planung und Durchführung von Veranstaltungen aller Familiengruppen im »Familienkreis« (Geselligkeiten, Ausflüge, Besinnungstage und andere Veranstaltungen)
- Einbringen von Arbeitsmaterial für die Familiengruppen z. B.: Handreichung »Neue Gespräche« oder Synodenmaterial u. ä.

Die angeführten Aufgaben können von den bisher Verantwortlichen nicht mehr allein geleistet werden. Es müßte bei intensiver Bemühung doch möglich sein, aus den bestehenden Familiengruppen — und wenn es nur für eine bestimmte Zeit wäre — zwei oder drei Ehepaare zu gewinnen.

1.3. *Wandertag*

Nachdem wir im vergangenen Jahr eine Wanderung ins Ampertal unternahmen, ist dieses Jahr eine Wanderung des Familienkreises von Andechs zum Pilsensee geplant.

Termin: September oder
Anfang Oktober 1972

1.4. *Tanzkurs für Ehepaare des Familienkreises*

Es sind ca. 6 Abende im Pfarrzentrum geplant.
Leitung: Herr Bernd Overmeier

Termin: Oktober/November 1972

2. EHE- UND FAMILIENSEELSORGE

2.1. *Taufgespräche*

Es soll die Möglichkeit geboten werden, daß gelegentlich — als Versuch — zu den Gesprächen für die Vorbereitung von Taufen Elternpaare hinzukommen, um mit den Eltern der zu taufenden Kinder insbesondere Fragen der religiösen Erziehung zu besprechen. Es steht hier auch ein Tonbild zur Verfügung. Wenn etwa fünf Ehepaare dafür gewonnen werden können — und das halten wir für durchaus realistisch — könnte gelegentlich ein solches Gespräch angeboten werden.

Termin: Ende 1972

2.2. *Meditations-Wochenende mit Sebastian Painadath SJ*

Herr Painadath wird voraussichtlich im kommenden Jahr in unserer Gemeinde zum Priester geweiht und wird auch hier die Primiz halten. Darum möchte er die Gemeinde noch besser kennenlernen, damit diese ihn nicht als einen Fremden ansehen muß, wenn der Tag der Weihe kommt. Unser Vorschlag wäre, daß Herr Painadath — ähnlich wie er es im vergangenen Jahr einmal gemacht hat — eine Reihe von Abenden anbietet (vielleicht Mittwoch, Donnerstag, Freitag), um daran anschließend für die noch intensiver Interessierten ein Meditationswochenende zu gestalten.

Termin: Frühjahr 1973

Planungen müßten noch im Herbst anlaufen.

2.3. *Kindermessen*

Die Kindermessen sollen wieder regelmäßig stattfinden. Federführend ist der Liturgieausschuß bzw. die zuständige Arbeitsgruppe

2.4. *Familienmessen*

Einige Überlegungen, die bereits im Liturgieausschuß angestellt wurden:

- Möglichst gleichbleibende Termine
  (jeder 3. Samstag im Monat um 19 Uhr?)
- Vorbereitung der Familienmessen durch verschiedene Familien (wechselseitig)
- Familiengerechte Gestaltung dieser Messen
  (moderner Liedschatz, Fürbitten, Gebete)

3. FAMILIENHILFE

3.1. *Werbung für die Ehe- und Familienberatung*

Wir sind der Auffassung, daß an einer günstigen Stelle die von der Diözese herausgegebenen Werbeschriften für die Ehe- und Familienberatung angeboten werden müßten.

Termin: Oktober 1972

Ein ganz wichtiger Termin ist noch die Planung für das 1. Halbjahr 1973, die wir spätestens im November machen müssen, evtl. unter Mitarbeit der unter Punkt 1.2. gewonnenen neuen Mitarbeiter für den Familienkreis.
Buchenhausen, den 10. Juli 1972

AG Ehe und Familie
im PGR - St. Josef

Handreichung für das Ehe-Seminar: „Wie Partnerschaft gelingt"

1. Abend: *»Die vielen Tage in der Ehe«*
   oder
   »Ehen werden nicht im Himmel geschlossen«
2. Abend: *Einübung in Partnerschaft*
   oder
   Wie Partnerschaft gelingt
3. Abend: *Sexualität und Ehe*
   — Versuch einer Neubesinnung —
4. Abend: *Christliche Ehe — eine Chance*
   Was ist anders an der Ehe des Christen?

Die Gliederung dieser Handreichung für die einzelnen Abende sieht vor: 1. Aufgabenstellung / Ziel — 2. Mögliche Inhalte — 3. Methodische Vorschläge — 4. Material (Literatur/Hilfsmittel)

Ziel des Seminars:

Das Seminar regt an, über die Ehe in der heutigen Situation des einzelnen und der Gesellschaft nachzudenken und miteinander ins Gespräch zu kommen.

Es will Lernschritte zu einer partnerschaftlichen Beziehung aufzeigen und für ernstere Konfliktfälle eventuell den Weg zur Eheberatung einleiten.

Es will — darauf aufbauend — das eigentlich Christliche in der Ehe des Christen suchen und herausarbeiten.

1. Abend: „Die vielen Tage in der Ehe"

1. *Ziel/Aufgaben:*

   1. These: Ehe ist nicht Familie
      Familie ist nicht Ehe.

Zu Beginn des EHE-SEMINARS muß dieser wichtige Unterschied und seine Bedeutung, die weitgehend unterschätzt wird, herausgearbeitet werden.

2. These: Die Ehe ist ein dynamischer Prozeß.

Es geht um die Darstellung der Entwicklungsstufen (Phasen) der Ehe, besonders der Chancen und Gefährdungen ihrer Reifungskrisen.

Im Gespräch über die Schwierigkeiten und Belastungen ihrer Ehen sollten die Ehepaare nach Möglichkeiten suchen, in einer positiven Bewältigung Chancen und Sinnhaftigkeit zu sehen.

2. *Mögliche Inhalte:*

1. *»Wo drückt der Schuh?«*

   1. Die Belastungen unserer Ehen (Arbeitsbogen) — 2. Mit Konflikten leben — 3. Die Ehe als dynamischer Prozeß — Chance der Reifungskrisen — 5. Die »Phasen« der Ehe (Standortbestimmung)

2. *Wie fing es an?*

   1. Man heiratet, weil ... — 2. Die Partnerwahl — 3. Wie war die Vorbereitung zur Ehe? — 4. »Nach der Hochzeit klappt schon alles!«

3. *Von der Heirat zur Ehe*

   1. Beginnt mit der Hochzeit schon »Ehe«? — 2. Liebesfähigkeit — Ehefähigkeit — 3. Die Kunst, miteinander zu leben — 4. Was ist eigentlich Liebe?

4. *Die junge Ehe*

   1. Gemeinsamkeit und Eigenständigkeit — 2. Wünsche? — 3. »Ein Kind verändert die Welt«

5. *Ehe in den »kritischen Jahren«*

   1. Mann und Frau — Vater und Mutter — 2. Die Sorgen wachsen mit dem Alter der Kinder — 3. Lebenshaltung und Lebensführung

6. *Ehe in der Lebensmitte (»Phase des leeren Nests«)*

   1. Wieder zu zweit — 2. Die »Ehe-Inspektion« — 3. Sein Leben leben — 4. Sind die Kinder abgeschrieben?

7. *Ehe — ins Alter hinein*

1. »Haben uns die Kinder abgeschrieben?« — 2. Beruf und Freizeit — 3. Abschied vom Beruf — 4. Älter werden — eine Kunst

3. *Methodische Vorschläge/Durchführung:*

1. *Vorschlag:*

1. Einführendes Referat (ca. 15—20 Minuten)
2. Gruppengespräch: »Welchen Belastungen sind wir heute ausgesetzt in Ehe und Familie?« (Arbeitsbogen) —
3. Berichterstattung und Aussprache

2. *Vorschlag:*

1. Methodische Einführung und Kurzreferat
2. Kurzes Gruppengespräch (in allen Gruppen gleich): Welche Entwicklungsstufen sehen Sie im Leben einer Ehe?« »Wo stehen Sie?«
3. Bericht, Aussprache und Überleitung ins
4. Referat (ca. 30 Minuten)
5. Aussprache

4. *Material:* siehe 2. Abend!

2. Abend: Wie Partnerschaft gelingt

1. *Ziel/Aufgaben:*

Die Ehe ist im Zeitalter der Kleinfamilie zerbrechlicher geworden, die Anforderungen und das Unbehagen haben sich verstärkt.

Ziel des Abends könnte sein, sich diesen Fragen zu stellen, sowie Hilfen und Formen zu erarbeiten, wie faire Partnerschaft zur Grundlage der Ehe werden kann.

2. *Mögliche Inhalte:*

1. *Wandel der Gesellschaftsstrukturen*

1. Geschichtlicher Rückblick — 2. Ehe und Familie in der mo-

dernen Gesellschaft — 3. Auf der Suche nach neuen Ehe- und Familienformen — 4. Ehe- und Familiengruppen als Chance

2. *Das neue Bild der Ehe*

1. Was ist Liebe, was Vertrauen? — 2. Worin unterscheiden sich Mann und Frau? — 3. Kann man Partnerschaft lernen?

3. *Partnerschaft praktisch:*

1. Wünsche äußern lernen — 2. Streiten lernen — 3. Zusammenarbeit lernen — 4. »Verstärken« lernen — 5. »Inspektionsprogramm« für die Ehe

3. *Methodische Vorschläge/Durchführung:*

1. *Vorschlag:*

1. Methodische Einführung
2. Arbeitsgruppen zu vorgelegten Konfliktfällen mit den Fragen:
   1. Wie empfinden und beurteilen Sie das Verhalten der beiden Eheleute?
   2. Was steckt Ihrer Meinung nach seelisch dahinter?
   3. Versuchen Sie, das Beispiel so umzugestalten, daß es Ihren Vorstellungen von Partnerschaft entspricht?
3. Bericht der Gruppen und Aussprache

2. *Vorschlag:*

1. Impulsreferat (ca. 15—20 Minuten)
2. Gruppengespräch mit folgenden Fragen: An was denken Sie, wenn Sie die Worte hören: Partnerschaft — Liebe — Emanzipation?
3. Bericht der Gruppen und Aussprachen
4. Kurzreferat — Abschluß

4. *Material für 1. und 2. Abend:*

Literatur

A. u. K. Mandel/Stadter/Zimmer, Einübung in Partnerschaft durch Kommunikationstherapie und Verhaltenstherapie, München 1971. — *Lederer/Jackson,* Ehe als Lernprozeß, München 1972. — *Bach/Wyden,* Streiten verbindet, Gütersloh 1970. — *Ruthe,* Ist die Ehe überholt?,

München 1971. — *Beckel (Hrsg.)*, Ehe im Umbruch, Münster 1969. — *Dreikurs*, Die Ehe — eine Herausforderung, Stuttgart 1969. — *Beer*, Ehekriegsspiele, Tübingen 1971. — *Struck (Hrsg.)*, Diagnose und Prognose der Ehe, Kevelaer 1970. — *Ell*, Muß die Ehe daran scheitern?, Limburg 1966. — *Struck/Loeffler (Hrsg.)*, Einführung in die Eheberatung, Mainz 1966. — *Bovet*, Die Ehe, Tübingen 1955. — *Werdt/Hauser*, Das Buch von Liebe und Ehe, Olten 1970. — *Rohner*, Verständnis für den anderen, München 1972. — *Oraison*, Miteinander sein, München 1971. — *Brocher*, Das unbekannte Ich, Hamburg 1970. — *Richter*, Patient Familie, Hamburg 1970. — *Richter*, Die Gruppe, Hamburg 1972. — *Riemann*, Grundformen der Angst, München 1971. — *Wurzbacher*, Leitbilder gegenwärtigen deutschen Familienlebens, Stuttgart 1969. — *Watzlawick/Beavin/Jackson*, Menschliche Kommunikation, Stuttgart 1972.

Schallplatten
Fritz Leist, Abenteuer der Ehe (Calig-München 1969, LP) (am besten in Ausschnitten einsetzen!)

Dia-Reihen/Tonbilder
Geliebter Partner (Tonbild), Steyl-München, 35 Min. — 86 Farbdias.

Tonfilme/Spielfilme
Rot im Kalender, Film über ein junges Ehepaar, das sich nichts mehr zu sagen hat (Laufzeit 9 Min.) — *Kammerspiel*, Film über die Aggressionen in einer Ehe (Laufzeit 13 Min.).

3. Abend: Sexualität und Ehe

1. *Ziel/Aufgaben:*

Menschliche Sexualität darf nicht isoliert betrachtet werden. Sie ist auch nicht durch Beherrschung der »Technik« zur »Glücksmaschine« zu machen. Es geht um den ganzen Menschen.

Durch Aufzeigen der geschichtlichen Entwicklungen und Analyse der heutigen Situation sollte nach Leitbildern gesunder Sexualität gesucht werden.

Es gibt keinen absolut gültigen Standard der Sexualität. Jede einzelne Beziehung hat ihre eigenen Gesetze.

Hierher gehört auch die persönliche Gewissensentscheidung der Ehepartner in der Frage der Geburtenregelung.

Eine persönliche Auseinandersetzung mit diesen Fragen muß angeregt und gefördert werden.

Als Hilfe für die Bewältigung ehelicher Störungen könnte auf die Eheberatung verwiesen werden.

2. *Mögliche Inhalte:*

1. *Für eine humane Sexualität*

   1. Sex – ein Zauberwort? – Ist Sexualität böse? – 2. Liebes- und Geschlechtsfähigkeit – 3. Wandel der Ordnungen – 4. »Eheliche Pflicht« und »neue Moral« – 5. Sexualität und Ehe

2. *Die Sexualität in den verschiedenen Lebensstufen*

   1. Für eine natürliche Erziehung – 2. Liebe – von der Jugend diskutiert – 3. Auf dem Weg zur Ehe ... – 4. Sex als Leistungsnorm? – 5. Besondere Formen des sexuellen Verhaltens – 6. Gibt es einen für alle gültigen Standard für das Sexualleben?

3. *Sexualität im Dienst des Lebens*

   1. Bevölkerungsprobleme – 2. Familienplanung – Geburtenregelung – 3. Methoden der Geburtenregelung – 4. Gewissen und Verantwortung – 5. Das Problem der Kinderlosigkeit

3. *Methodische Vorschläge/Durchführung:*

1. Vorschlag:

1. Methodische Information
2. »Zeitschriftenschau«: Untersuchung einer Nummer von ELTERN oder JASMIN unter besonderer Berücksichtigung der Sexualität (Gruppenarbeit)
3. Berichte und Aussprache
4. Kurzreferat

2. Vorschlag:

1. Einführung durch den Seminarleiter
2. Arbeitsbogen mit Fragen nach den Erwartungen der Teilnehmer zu diesem Abend
3. Auswertung
4. Referat
5. Gemeinsame Aussprache

3. Vorschlag:

1. Kurze Lesung (evtl. mit verteilten Rollen) aus der angegebenen Literatur (evtl. Nr. 1)

2. Referat mit Bezug auf die vorangegangene Lesung
3. Gruppen- oder allgemeine Diskussion

4. *Vorschlag:*
1. Einleitung: Schwerpunkt Sexualität und Gesellschaft (»Sexwelle«)
2. Arbeitsgruppen mit Arbeitsbogen:
   Was können wir gegen die Sexwelle tun?
3. Bericht und Aussprache.

4. *Material:*

Arbeitsbogen: Was können wir gegen die Sexwelle tun?

Position:

Die Sexwelle, die gegenwärtig die Öffentlichkeit überschwemmt, ist Ausdruck eines tiefgreifenden Verfalls von Sitte und Anstand. Staat, Parteien, Kirchen und Schulen – kurz alle in unserer Gesellschaft Verantwortung tragenden Institutionen und Gruppen sind verpflichtet, diesen Auswüchsen entgegenzutreten. Vor allem hat der Gesetzgeber die notwendigen Handhaben für ein wirksames Eingreifen der Gerichte zu schaffen.

Gegenposition:

Die derzeitige Sexwelle ist ein Zeichen für eine moralische Krise. Viele Menschen sind den Ansprüchen an Freiheit und Selbstverantwortung, die ihnen die demokratische Gesellschaft auch in ihrem geschlechtlichen Verhalten abverlangt, nicht gewachsen. Überlieferte Einstellungen und Verhaltensweisen wirken fort. Darum können nicht Zensur und Verbot die Krise überwinden helfen, sondern nur eine Erziehung zu verantwortlicher Gestaltung der Freiheit, in der ein unbefangenes Verhältnis zur Sexualität möglich wird.

Literatur

Strunk, Liebe — Ehe — Sexualität, Gütersloh 1970. — Denkschrift zu Fragen der Sexualethik, Gütersloh 1971. — *Scherer*, Ehe im Horizont des Seins, Essen 1967. — *F. Leist*, Liebe — Geschlecht — Ehe, München 1967. — *v. Gagern*, Dynamische Ehemoral gegen altes Gesetz, München 1969. — *Affemann*, Geschlechtlichkeit und Geschlechtserziehung, Gütersloh 1970. — *Beer*, Liebe contra Sex, Tübingen 1967. — *Trimbos*, Leben mit der Liebe, Mainz 1969. — *Wrage*, Verantwortung in der Ehe, Gütersloh 1966. — *Döring/Habe/Leist*, Das Ehebuch, Hamburg 1970. — *Goldstein/McBride*, Lexikon der Sexualität, Wuppertal 1970. — *Duykaerts*, Der Weg zur sexuellen Partnerschaft, Freiburg 1968. — *Gründel*, Fragen an den Moraltheologen, München 1969. — *David S. J.*, Ehe und Elternschaft nach dem Konzil, Aschaffenburg 1968. — *Blobel/Flitner/Tölle*, Familie und Geburtenregelung, München 1969. —

Schallplatten

F. Leist, Abenteuer der Ehe (Calig-München, LP).

4. Abend: Ehe des Christen — eine Chance
Was ist das Besondere an der Ehe des Christen?

1. *Ziel/Aufgaben:*

Die anthropologischen, psychologischen und soziologischen Seiten von Ehe und Familie standen in dem Seminarvorschlag bisher im Vordergrund. Das sollte als roter Faden die ganze Seminar-Reihe durchziehen.
Gerade aus dieser Sicht ist erst eine Reflexion auf das eigentlich Christliche möglich. Diese Besinnung ist Ziel des 4. Abends.
Im einzelnen sollte der Versuch gemacht werden, die Ehe als Angebot (und auch als Verpflichtung) Gottes zu sehen, als gemeinsamen Weg zu Gott, als Möglichkeit, im ehelichen Alltag Gott zu begegnen.
Die ganze Seminar-Reihe — insbesondere dieser 4. Abend — könnte Interesse wecken, den Fragen einer neuen Ehespiritualität in Gesprächskreisen (Familiengruppen) nachzugehen.

2. *Mögliche Inhalte:*

1. *Die Zukunft der christlichen Ehe*

1. Was ist anders an der Ehe des Christen? — 2. Vom Wandel der christlichen Eheauffassung — 3. Die Struktur der Ehe in der Hl. Schrift — 4. Die Frage nach den Normen: Treue — Liebe — Unauflöslichkeit — 5. Ehesakrament als Lebenshilfe?

2. *Der Dienst der Kirche an der Ehe*

1. Ehe als Aufgabe der Verkündigung — 2. Ehe und Familie in der Gemeinde — 3. Familie und Gottesdienst — 4. Die Chance der Familiengruppenarbeit — 5. Ehe und Familienberatung als kirchlicher Dienst

3. *Aktuelle Probleme in der theologischen Diskussion*

1. Zum Thema Ehescheidung — 2. Hilfen für die gescheiterten Ehen — 3. Fragen der Familienplanung — 4. Die bekenntnisverschiedene Ehe

3. *Methodische Vorschläge/Durchführung:*

1. Vorschlag:

1. Methodische Information
2. Impulsreferat zum Thema: »Die Zukunft der christlichen »Ehe« mit kurzer Aussprache
3. Impulsreferat zum Thema: »Der Dienst der Kirche an der Ehe« mit kurzer Aussprache
4. Evtl. noch Impulsreferat zum Thema: »Aktuelle Probleme in der theologischen Diskussion« mit kurzer Aussprache

2. Vorschlag

1. Impulsreferat: »Der Dienst der Kirche an der Ehe«
2. Gruppengespräch zu der Frage: »Was spricht für Familiengruppen oder einen Familienkreis in unserer Gemeinde?« »Wie könnten wir es anfangen?«

4. *Material:*

Literatur

David/Höflich, Christliche Ehe ohne Zukunft?, Düsseldorf 1969. — *Böckle/Greinacher/Betz,* Ehe in der Diskussion, Freiburg 1969. — Sammelband: Die Ehe, Freiburg 1969. — *Harsch (Hrsg.),* Das neue Bild der Ehe, München 1969. — *Greeven/Ratzinger/Schnackenburg/Wendland,* Theologie der Ehe, Regensburg 1969. — *Evely,* Liebe und Ehe, Freiburg 1969. — Handbuch der Pastoraltheologie, Band IV, Kap. 5 (die Ehe als Vollzug der Kirche. — *Signum,* Heft 2/1970 (Thema: Erziehung zum Glauben — Ehe und Familie). — *Will,* Wir leben in Mischehe, München 1969. — *Lengsfeld,* Das Problem der Mischehe, Freiburg 1970. — *Gründel* u. a., Zum Thema Ehescheidung, Stuttgart 1970. — Glaubensverkündigung für Erwachsene (Holl. Katechismus), S. 427—457 (Ehe und Familie). — *Rahner/Vorgrimmler,* Kleines Konzilskompendium, Freiburg 1966.

Handreichungen für das Erziehungs-Seminar „Kinder fordern uns heraus"

1. Abend: *»Kinder fordern uns heraus!«*
— Erziehen wir zeitgemäß? —
(Grundlagen — Orientierungshilfen)

2. Abend: *»Hilfe — ich muß erziehen!«*
— Neuer Mut durch praktische Anregungen —

3. Abend: *Sexualität und Liebe*
— Weg zur geschlechtlichen Reife —

4. Abend: *»Die Sache mit dem ›lieben Gott‹ «*
— Kann man Glauben lernen? —

Die Gliederung der angebotenen Handreichung für die einzelnen Abende sieht vor: 1. Aufgabe / Ziel des Seminars — 2. Mögliche Inhalte — 3. Methodische Vorschläge — 4. Material (Literatur/ Hilfsmittel)

1. Abend: „Kinder fordern uns heraus" — Erziehen wir zeitgemäß? —

1. *Ziel/Aufgabe:*

Die Grundlagen heutiger Kindererziehung, besonders der einzelnen Erziehungsstile sollen den Eltern als Orientierungshilfen vorgestellt und mit ihnen durchgesprochen werden.

Gedankenanstoß:

Deine Kinder sind nicht deine Kinder.
Sie sind die Söhne und Töchter der
Sehnsucht des Lebens nach sich selbst.

Sie kommen durch dich, aber nicht von dir,
und obwohl sie bei dir sind,
gehören sie dir nicht.

Du kannst ihnen deine Liebe geben,
aber nicht deine Gedanken,
denn sie haben ihre eigenen Gedanken.

Du kannst ihrem Körper ein Heim geben,
aber nicht ihrer Seele, denn ihre Seele
wohnt im Haus von morgen, das du nicht
besuchen kannst, nicht einmal in deinen
Träumen.

Du kannst versuchen, ihnen gleich zu sein,
aber suche nicht, sie dir gleich zu machen.

Denn das Leben geht nicht rückwärts
und verweilt nicht beim Gestern.
Du bist der Bogen, von dem deine Kinder
als lebende Pfeile ausgeschickt werden.

Kahlil Gibran

2. *Mögliche Inhalte:*

1. *Nur die Liebe kann erziehen*

1. Erziehung ist Wegbegleitung — 2. Erziehung beginnt bei sich selbst — 3. Dein Kind gehört nicht dir! — 4. Geborgenheit und Anerkennung

2. *Zwischen Freiheit und Verantwortung*

1. Die verschiedenen Erziehungsstile — 2. Gehorsam und Disziplin — 3. Was heißt eigentlich »antiautoritär« — 4. »Ehemuster« wird zum »Erziehungsmuster« — 5. Partnerschaft zwischen Eltern und Kindern

3. *Kinder sind keine »kleinen Erwachsenen«*

1. Über die Entwicklungspsychologie — 2. Wechselbeziehungen Anlagen — Umwelt — 3. Kurze Einführung in die einzelnen Entwicklungsstufen (Hinweis auf den 2. Abend)

3. *Methodische Vorschläge/Durchführung:*

1. *Vorschlag:*

1. Impulsreferat (mit didaktischer und methodischer Einführung)

2. Gruppengespräch über die Fragen:

- Was verstehen wir unter Partnerschaft in der Erziehung?
- Welche Fragen beschäftigen uns besonders in der Erziehung unserer Kinder? (Hierbei ergeben sich u. U. Schwerpunkte für den 2. Abend)
- Welchem Erziehungsstil kommen Sie wohl am nächsten?

3. Bericht und Aussprache

2. Vorschlag:

1. Zeichentrickfilm: »Wie bekommt man ein braves Kind?« — 12. Min. (siehe Material)
2. Gruppenarbeit für den Film (mit Arbeitsbogen)
3. Berichte und Aussprache
4. Kurzreferat

4. *Material: siehe 2. Abend*

2. Abend: „Hilfe — ich muß erziehen!“ — Neuer Mut durch praktische Anregungen —

1. *Ziel/Aufgabe:*

Durch praktische Anregungen sollen — vor allem auch in Gruppenarbeit — auf die Fragen der Eltern vom 1. Seminarabend her Antworten gesucht werden.

2. *Mögliche Inhalte:*

1. *Eltern im Umgang mit . . .*

1. *Ungeborenen* (— das Wunschkind — Mutterbindung — Vaterpflicht — verantwortete Elternschaft) —
2. . . . *Säuglingen* (1. Lebensjahr) (— die Geburt als »Halbzeit« der Schwangerschaft — Geborgenheit in der Familie — der »Mut zum Nein« — Sauberkeitserziehung) —
3. . . . *Kleinkindern* (2—6 Jahre) (— die Entdeckung des Ich — die Welt der Sprache — soziale Einordnung) —
4. . . . *Schulkindern* (7—12/14 Jahre) (— vom Spiel zur Arbeit — Schule ohne Bangen — Umgang mit dem Taschengeld)
5. . . . *Jugendlichen* (12/14—20 Jahre) (— »Oh diese Jugendlichen!« — die Selbstfindung — der Lebensplan)

2. *Schwerpunkte der Erziehung*

1. Das Kind und die anderen (Sozialisation) — 2. Konsumverhalten als »Pflichtfach« — 3. Wir leben in einer Bildungsgesellschaft — 4. Medien-Erziehung — 5. Musische Erziehung — 6. Hinweise auf religiöse Erziehung (4. Abend) und Sexualerziehung (3. Abend)

3. *Methodische Vorschläge/Durchführung:*

1. Vorschlag:

1. Einleitende Gruppengespräche (ca. 20 Min.) mit der Frage: »Wo drückt der Schuh?«
2. Zusammenstellung dieses »Katalogs«
3. Referat unter Berücksichtigung der aufgeworfenen Fragen
4. Aussprache (evtl.)
5. Abschluß durch Tonbild oder Film (siehe Material)

2. Vorschlag:

1. Impulsreferat über die Entwicklungsstufen bis zum Schulalter
2. Gemeinsame Aussprache
3. Impulsreferat über das Schul- und Jugendalter
4. Gemeinsame Aussprache
5. Je nach Zeit weitere Themen und Schwerpunkte der Erziehung

4. *Material (für 1. und 2. Abend):*

Literatur

Clauser, Die moderne Elternschule, Freiburg 1969. — *Dreikurs/Soltz*, Kinder fordern uns heraus, Stuttgart 1969. — *Linke*, Wir und die Kinder, Freiburg 1969. — *Dirx*, Das Elternbuch, Hannover 1967. — *Rattner*, Erziehe ich mein Kind richtig?, Zürich 1967. — *Neill*, Theorie und Praxis der antiautoritären Erziehung, Hamburg 1969. — *Postmeyer*, Die positive Familie, München. — *Dürr*, Autorität — Vorbild — Strafe, Stuttgart 1970. — *Hörl (Hrsg.)*, Die Zukunft unserer Kinder, Olten 1967. — *Klostermann*, Erziehen heute, Luzern/München 1968. — *Ell*, Fördern statt fordern, Freiburg 1970. — *Ell*, Kluge Eltern — glückliche Kinder, Limburg 1969.

Dia-Reihen/Tonbilder

Müssen Eltern schwierig sein? — Das Zusammenleben von Jugendlichen und Eltern — Steyl-München 1969 (Tonbild 36 Min. — 80 Farbdias).

5 = *Dumm* — Erziehung des Kindes zur Leistungsfähigkeit — Steyl-München 1970 (Tonbild 30 Min. — 80 Farbdias).
6 = *Schulfähig* — Erziehung des Kindes zur Schulfähigkeit — Steyl-München 1970 (Tonbild 30 Min. — 80 Farbdias).
Konzentration mangelhaft — Erziehung des Kindes zur Konzentrationsfähigkeit — Steyl-München 1970 (Tonbild 30 Min. — 80 Farbdias).

Kurzfilme/Spielfilme

Wie bekommt man ein braves Kind? — Zeichentrickfilm über die Art, Kinder zu erziehen (Laufzeit 12 Min.).
Die Welt unserer Kinder, eine Erziehungsfilmreihe des Bayer. Rundfunks, 13 Tonfilme mit je ca. 30 Min. Laufzeit, kostenlos beim Bayer. Landesfilmdienst

Themen: 1. Geburt und erste Erfahrungen — 2. Die Erkundung der Umwelt — 3. Das Erlernen der Sprache — 4. Vom Sinn des Spielens — 5. Die Gewöhnung zur Sauberkeit — 6. Die Fähigkeit zur Selbstbeschäftigung — 7. Das Selbst und die anderen — 8. Trotz und Selbstbehauptung — 9. Die Selbsterprobung — 10. Die Entfaltung der Phantasie — 11. Die Hemmnisse der Entwicklung — 12. Das Annehmen des Vorbildes — 13. Das Erstarken des Wirklichkeitssinnes.
(Die Filme könnten auch szenenweise gezeigt werden.)

Sonstiges

Merkblatt: »10 Gebote für eine menschenwürdige Erziehung« (aus: »Die moderne Elternschule« von Clauser)
Schaubild: »Entwicklungsstufen« (aus: »Die moderne Elternschule«)

3. Abend: Sexualität und Liebe — Weg zur geschlechtlichen Reife —

1. *Ziel/Aufgaben:*

   Die Einheit von Sexualität und Liebe soll dargestellt und den Eltern praktische Hilfen angeboten werden, die sich an den heutigen Erkenntnissen über die menschliche Geschlechtlichkeit orientieren.

2. *Mögliche Inhalte:*

   1. *Ja zur Sexualität*

      1. Eine Sexualität zum Lieben — 2. Sex heute — Chance und Gefahr — 3. Integration in das Ganze des Menschen

   2. *Junge — Mädchen, Mann und Frau*

      1. Das Annehmen der eigenen Geschlechtsrolle — 2. Puppen — kein Spielzeug für Buben — 3. Sollen Mädchen studieren? — 4. Die »Rollen« von Mann und Frau

3. *Erziehung zur Liebe*

1. Sexualität — ein Teilbereich der Liebe — 2. Angenommensein — Annehmen können — 3. Entwicklung des Ich — 4. Sexualität im menschlichen Zusammenleben

4. *Erziehung zur Verantwortung*

1. Was ist verantwortliches geschlechtliches Verhalten? — 2. Sexualleben junger Menschen — 3. Es geht nicht ohne Konflikte — 4. Einübung in Partnerschaft

5. *Biologische Information zur Sexualität des Menschen*

1. Die Bedeutung der rechtzeitigen Wissensvermittlung — 2. Bau und Funktion der Geschlechtsorgane — 3. Eireifung — — Menstruation — Befruchtung — 4. Schwangerschaft — Geburt — 5. Empfängnisregelung — Familienplanung — 6. Besondere Probleme der Sexualität — 7. Sexualkunde in Kindergarten und Schule — 8. Hinweise auf Möglichkeiten der persönlichen Beratung

3. *Methodische Vorschlage/Durchführung:*

Bei der Vielzahl der vorhandenen audiovisuellen Hilfsmittel ist die Zusammenstellung eines abwechslungsreichen Programmes nicht schwierig.
Man sollte auch an ausschnittweise Vorführung der Schallplatten und Tonbilder denken.
An diesem Abend ist das Anbieten von einschlägiger Literatur und von Schallplatten ganz besonders zu empfehlen.

1. *Vorschlag:*

1. Impulsreferat (bis ca. 20 Min.)
2. Gruppengespräch mit vorbereiteten Fragen
3. Berichterstattung und Aussprache
4. Kurzreferat

2. *Vorschlag:*

1. Kurze Einführung (methodisch und inhaltlich)
2. Problemfilm PHOEBE — 28 Minuten
3. Arbeitsgruppen zu vorbereiteten Fragestellungen
4. Berichterstattung und Aussprache im Plenum
5. Stellungnahme des Seminarleiters (Kurzreferat ca. 15 Min.)

4. Material:

Literatur

AKF, Empfehlungen zur Sexualerziehung, Bonn 1967/1970. — *Bokler/Fleckenstein*, Sexualpädagogische Richtlinien, Mainz. — *Buschmann*, Das geht Eltern und Erzieher an, Limburg 1968. — *Goldstein/McBride*, Lexikon der Sexualität, Wuppertal 1970. — *Ell*, Grundlagen der Erziehung zu Partnerschaft und Ehe, Limburg 1968. — *Kentler*, Für eine Revision der Sexualpädagogik, München 1967. — *F. Leist*, Liebe, Geschlecht, Ehe, München/Luzern 1967. — *M. Leist*, Neue Wege der geschlechtlichen Erziehung, München 1968. — *Wrage*, Mann und Frau, Gütersloh 1966. — *Stahl*, Antworten auf die Fragen unserer Kinder, Bd. 1: Vorschulalter, Bd. 2: Schulalter, Limburg 1965. — *KED*, Dokumentation zur Sexualpädagogik, Köln 1970. — Bundesminist. f. Gesundheit: Sexualkunde-Atlas, Opladen 1969. — *Verch*, Sexualerziehung (Lehrmappe Familie 1), St. Augustin 1970. — Affemann, Geschlechtlichkeit und Geschlechtserziehung, Gütersloh 1970. — Denkschrift zu Fragen der Sexualethik, Gütersloh 1971. — *Freytag*, Sex — Ehe — Gesellschaft, Freiburg 1971. — *DKV (Hrsg.)*, Sexualerziehung in der Grundschule, München 1972. — *Beer*, Liebe contra Sex, Tübingen 1967. — *Strätling*, Sexualethik und Sexualerziehung, Donauwörth 1970. — *Trimbos*, Leben mit der Liebe, Mainz 1969.

Schallplatten

Marielene Leist, So kamst du zur Welt (6—10 Jahre) (Calig-München 1970, LP)

Marielene Leist, Alle reden von Liebe (10—14 Jahre) (Calig-München 1970, LP)

Dia-Reihen/Tonbilder

Was Kinder wissen sollen (5—8 Jahre) Calig-München, (Laufzeit 30 Min. — 70 Bilder)

Was Jungen und Mädchen wissen sollen (8—13 Jahre) Calig-München, (Laufzeit 30 Min. — 70 Bilder)

Unser Kind wird erwachsen (f. Eltern der 13—16jährigen) Calig-München (Laufzeit 45 Min. — 70 Bilder)

Wissende Eltern — bessere Eltern — integrierte Geschlechtlichkeit — Steyl-München 1970 (Tonbild 30 Min. — 80 Farbdias)

Wir sind doch keine Kinder mehr 1. Teil: Biologie des Geschlechtlichen 2. Teil: Bedeutung des Geschlechtlichen, Steyl-München (Tonbilder je ca. 20 Min. — 45/49 Farbdias)

Liebe ohne Liebe (2 Teile), Begegnung Junge und Mädchen, Situation und Wegweisung, Steyl-München (Tonbilder je ca. 30 Min. — 73/80 Farbdias)

Tonfilme/Spielfime

Phoebe Problemfilm zur Einleitung des Seminarabends, Spielfilm (Laufzeit 24 Min.)

Er, sie, es, Kurzfilm zur Geschlechtserziehung (31 Min.)

4. Abend: „Die Sache mit dem ‚lieben Gott'" — Kann man Glauben lernen? —

1. *Ziel/Aufgaben:*

Die Aufgabe, die Kinder zu Gott zu führen, hat sich gewandelt. Ziel dieses Abends sollte sein, die heute üblichen Methoden, besonders aber die Haltung der Eltern zur religiösen Erziehung zu befragen, ob sie geeignet sind, ein echtes, unsentimentales Verhältnis zu Gott zu ermöglichen.

Gedankenanstoß

Kinderfragen/Lebensfragen

Wer ist Gott? Wo ist Gott? — Wie sieht er aus? Gibt es ihn? — Wirkt er Wunder? — Haben ihn die Weltraumfahrer gesehen? — Ist er in den hohen Bergen? — Ist er im Wald? — Ist er in der Stille? Wo finde ich ihn? — Was will er von mir? — Wohnt er in den Kirchen? — Wer kann mir das sagen? — Ich wüßte es gern.

2. *Mögliche Inhalte:*

1. *Grunderfahrungen für die Erziehung zum Glauben*

   Geborgenheit, Sicherheit, Liebe, Geltung — Möglichkeit, »heile Welt« (Glück) zu erfahren — Ehrlichkeit der Eltern in Sprechen und Tun

2. *Kann man zum Leben mit Gott »begaben«?*

   Wissen um das Dasein Gottes — Erziehung zum Staunen, Formen kindlicher Meditation — Erziehung zur Lebensfreude, Mut zum Leben

3. *Für die Welt erziehen*

   Weltlich von Gott reden — Die Welt ist nicht immer heil — Bewähren — nicht bewahren!

4. *Wie helfen wir unseren Kindern zum Glauben?*

   Feste und Formen sind nicht überholt, aber vielleicht »überholungsbedürftig!« — Wie beten, singen, spielen? — Formen sind keine Rezepte!

3. *Methodische Vorschläge/Durchführung:*

1. *Vorschlag:*

   1. Referat
   2. Vorspielen einer Schallplatte zur Bibel (s. Material)
   3. Gemeinsame Aussprache

2. *Vorschlag:*

   1. Impulsreferat
   2. Eine Auswahl von Kindergebetbüchern wird in Gruppen durchgesprochen
   3. Berichte und Aussprache

3. *Vorschlag:*

   1. Kurze Einführung
   2. Gruppengespräche mit Fragen lt. Anhang
   3. Berichterstattung und Aussprache
   4. Kurzreferat

4. *Material:*

Literatur

M. Leist, Erste Erfahrungen mit Gott, Freiburg 1971. — *M. Leist,* Neue Wege der religiösen Erziehung, München 1970. — *Jockwig,* Das Kind auf dem Weg zu Gott, Kevelaer 1969. — *Hommel,* Religionslose Erziehung in der christlichen Familie, München 1969. — *Köck,* Damit sie glauben können, München 1971. — *Tilmann,* Wie spricht man heute in der Familie von Gott?, Donauwörth 1970. — *König,* Wie helfen wir unseren Kindern zum Glauben?, Düsseldorf. — *Strätling/Tölle,* Kinder zwischen Gut und Böse, Limburg 1970. — *Buchmann/Braun (Hrsg.),* Gott im Alltag der Familie, Hamm 1971. — *Kockerols,* Auch Gott gehört dazu, München 1968. — Glauben — Leben — Handeln 1, Freiburg 1969. — Glaubensverkündigung für Erwachsene (Holl. Katechismus), Freiburg 1968

Schallplatten

Schallplatte zur Bibel, Kath. Bibelwerk Stuttgart 1965, je 10 Hörfolgen zum AT und NT in einer kindgemäßen Sprache
Kuhn J., Ist beten sinnlos? (17 cm)
Schildberger Spielschar: Laß die Kleinen singen, Meßgesänge für die Kleinen (17 cm)

Dia-Reihen/Tonbilder

Hilfe Religion! Steyl-München (Tonbild 30 Min. — 84 Farbdias)
Religion ja — Kirche nein? Steyl-München (Tonbild 35 Min. — 81 Farbdias)

Fragen für das Gruppengespräch:

1. Was ist Gott für uns? Wie geben wir es weiter? (Metapher-Meditation: Gott ist . . .)
2. Erinnern Sie sich an Erlebnisse aus der Kinder- und Jugendzeit, die Ihnen zum Glauben geholfen haben? Könnten oder wollten Sie das auch Ihren Kindern vermitteln?
3. Verlieren die Kinder nicht allen Respekt, wenn wir — gerade in religiösen und moralischen Fragen — eigene Fehler begehen?
4. Gibt es ein Recht auf verschiedene Meinungen für alle Fragen des Glaubens? Soll man die Kinder an den eigenen Zweifeln teilhaben lassen? Wie?
5. Wie soll man den Kindern die Liebe Gottes erklären, wenn großes Leid, Unglück und Unfrieden den Kindern immer bewußter werden?
6. Was würden Sie tun, wenn Ihre 12jährige Tochter sich weigert, in die Sonntagsmesse zu gehen?
7. Muß Opfer und Verzicht sein? Wie könnte man es praktisch machen?
8. Was verstehen Sie unter Gewissensbildung? Geht es dabei um Einüben von Normen, um Kennenlernen der Gebote, um Befähigung zu selbständiger Verantwortung?
9. Straft Gott die Kinder? Wie denken Sie über das Strafen? Kommt man ohne aus? Wenn nein, was hat Gott damit zu tun?
10. Was könnte man in der Familie tun, um die Kinder Gott erfahren zu lassen im Tagesablauf? Halten Sie etwas von Bilderbüchern, anderen religiösen Büchern und Schallplatten? Was halten Sie vom Basteln, Malen, Musizieren und Singen über religiöse Themen?
11. Wie denken Sie über das Gebet in der Familie (morgens — mittags — abends)? Welche Möglichkeiten gibt es noch? Wie stehen die Kinder dazu?
12. Welche Feste des Kirchenjahres bieten Ihnen am ehesten Gelegenheit, Ihre Glaubensüberzeugung weiterzugeben? Sind Sie sich immer über den Sinn der einzelnen Bräuche im klaren?
13. Wie denken Sie über den Religionsunterricht? Was könnte man tun, um ihn zu verbessern, aufzuwerten?
14. Könnten Eltern, Kindergarten und Schule besser zusammenwirken in der religiösen Erziehung der Kinder? Wie?

Handreichung für das Schwerpunkt-Seminar: „Erziehung zur Konzentration"

1. Abend: *Konzentration in der Entwicklung des Kindes*

2. Abend: *Konzentrationsschwierigkeiten sind Lebensschwierigkeiten*

3. Abend: *Spiele als Hilfe zur Konzentration.*

Diese Themen sind als Angebot gedacht. Sie können im Gespräch mit dem Seminarleiter ohne weiteres umformuliert und der jeweiligen Situation angepaßt werden. Die Wünsche und Erwartungen der Teilnehmer sollen so weit wie möglich den Verlauf des Seminars bestimmen.

Dieser Handreichung liegt folgende Gliederung zugrunde: 1. Aufgabe/Ziel des Seminars — 2. Mögliche Inhalte — 3. Methodische Vorschläge — 4. Material (Literatur, Hilfsmittel)

Eine Aufteilung auf die einzelnen Abende scheint nicht erforderlich. Der obige Vorschlag könnte ein Anhaltspunkt sein.

1. *Ziel/Aufgabe*

Das Seminar will zur Konzentrationsfähigkeit hinführen und versuchen, Einblick zu geben, welche *Hilfen* möglich sind, um Konzentrationsstörungen und -schwächen zu überwinden.

Dies geschieht in Form von praktischen Anregungen anhand der kindlichen Entwicklung.

2. *Mögliche Inhalte*

1. *Was ist Konzentration?*
   Konzentration als Höchstform der Aufmerksamkeit, als Hilfe zur Selbstentfaltung und Leistungsfähigkeit.
2. *Konzentration in der Entwicklung des Kindes*
   Konzentration beginnt im Kleinkindalter und muß den ein-

zelnen Altersstufen entsprechend entwickelt und gefördert werden. Sie ist mitgeprägt durch das Verhalten der Erzieher. Konfliktbewältigung in der Familie und in der Schule — Konzentrationsschwierigkeiten sind Lebensschwierigkeiten.

3. *Konzentrationsschwächen — Konzentrationsstörungen*
Unfähigkeit, sich intensiv einer Sache zuzuwenden — Ablenkung — Flatterhaftigkeit — Entwicklungshemmungen — Krisen im Entwicklungsverlauf — Erziehungsfehler (z. B. Unterforderung — Überforderung) — schwere Erlebnisse (Schock, schwere Sorgen)

4. *Spielförderung als Hilfe zur Konzentration*
Pflege der Aufmerksamkeit — keine unnötigen Spielstörungen — eigene Spielecke — meditatives Wiederholen von Liedern und Versen — Märchen erzählen — kritisches Mitdenken und Nacherzählen — zielgerichtete altersgemäße Spiel- und Arbeitsmöglichkeiten.

5. *Erziehung zur Konzentration innerhalb der Gesamterziehung*
Jedes Kind braucht die bedingungslose Liebe seiner Eltern. Verständnisvolle Hilfestellungen zur Förderung der Aufmerksamkeit sowie des eigenständigen Denkens fördern das Vertrauen des Kindes zu sich selbst und tragen zur Sicherheit seines Selbstvertrauens und Selbstwertgefühles bei.

3. *Methodische Vorschläge/Durchführung*

1. *Vorschlag:*

1. Einführung in die Seminararbeit und Impulsreferat
2. Gruppenarbeit mit folgenden Fragen:
   - Wird das Kind durch Verwöhnung oder Härte zur Unkonzentriertheit erzogen? Warum? Wie?
   - Wann beginnt bei einem Kind die Konzentration? Wie kann sie durch die Eltern gefördert werden?
   - Ist die Konzentration des Menschen nur für seine Leistung von Bedeutung?

Weitere Fragen für das Gruppengespräch

1. *Worum geht es?*

1. Welches ist eine der Hauptursachen für schwache Leistungen eines Schülers?

   2. Welche Auswirkungen hat eine ungenügende und gestörte Konzentrationsfähigkeit auf Schule und Beruf?

2. *Was muß man wissen?*
   1. Wie verhalten sich Aufmerksamkeit und Konzentration zueinander?
   2. Ist Konzentrationsfähigkeit angeboren oder muß sie entfaltet werden?
   3. Was ist Konzentrationsschwäche?
   4. Welches sind die Ursachen für Konzentrationsschwäche?
   5. Was ist Konzentrationsstörung?
   6. Welches sind die Ursachen für Konzentrationsstörungen?
   7. Welche Fehlhaltungen der Eltern können zu Konzentrationsschwierigkeiten beim Kind führen?

3. *Was ist zu tun?*
   1. Warum ist die Entfaltung der Konzentrationsfähigkeit des Kindes zunächst Aufgabe der Eltern?
   2. Wann haben Eltern damit zu beginnen, die Aufmerksamkeit und Konzentration beim Kind zu wecken?
   3. Welche Bedeutung hat das Spiel des Kindes für die Entfaltung der Konzentrationsfähigkeit?
   4. Wie können Eltern das Spiel und damit die Konzentrationsfähigkeit des Kindes fördern?
   5. Welche wichtige Hilfe bieten Märchen, rhythmische Lieder, Verse, Wiederholung von Geschichten, Nacherzählungen für das Wecken der Konzentrationsfähigkeit?
   6. Von welchem Wert sind gemeinsame Spaziergänge, Besuche von Ausstellungen usw.?
   7. Warum braucht das Kind seinen festen Spiel- und Arbeitsplatz?
   8. Wie können die Eltern ihrem Kind helfen bei der Auswahl von Freunden, Büchern, Filmen, Rundfunk- und Fernsehprogrammen?
   9. Wie haben sich Eltern zu verhalten, wenn ihr Kind Konzentrationsschwierigkeiten hat? (Strafe — Fachberatung —

Arzt [Hör- und Sehfehler] — Ist das Kind über- oder unterfordert, verwöhnt oder zu hart erzogen?)

10. Welche Bedeutung hat die Charakterbildung für die Entfaltung der Konzentrationsfähigkeit?

4. Material:

Literatur

Brem-Gräser: Hilfen für das unkonzentrierte Kind, Reihe Elternsprechstunde 1968.

Dia-Reihen/Tonbilder:

Konzentration mangelhaft? — Erziehung des Kindes zur Konzentrationsfähigkeit — Steyl-München, (Tonbild 30 Min. — 80 Farbdias)

Handreichung für das Schwerpunkt-Seminar: „Entspannung — Sammlung — Meditation in Ehe und Familie“

Die Stille und das Gespräch als Hilfe für die überforderte Familie

1. Abend: *Wie finden wir zu Entspannung – Sammlung – Meditation?* (mit praktischen Anregungen)

2. Abend: *Betrachtung eines Tages*

   Wie können Erfahrungen und Erlebnisse als Lebenshilfe ausgewertet werden?

3. Abend: *Den Partner meditieren*

   Über einen Menschen nachsinnen, um ihn besser zu verstehen.

4. Abend: *Das Gespräch in Ehe und Familie*

   Zuhören – Verstehen – Vertrauen – Ermutigen

5. Abend: *Einübung in Stille vor Gott*

   (mit Meditation eines Schriftwortes)

6. Abend: *Meditation mit Kindern?*

   Wege zur Entfaltung der kindlichen Anlagen

Diese Themen sind als Auswahl gedacht. Das Meditations-Seminar kann auch in drei oder vier Abenden durchgeführt werden. Dieser Handreichung liegt folgende Gliederung zugrunde: 1. Ziel des Seminars – 2. Mögliche Inhalte – 3. Methodische Vorschläge – 4. Material (Literatur/Hilfsmittel)

Sie ist nicht für jeden Abend einzeln gegliedert, es geht hier weniger um eine Wissenserarbeitung als um das persönliche Erleben. Die angegebenen Inhalte gehen sehr stark ineinander über und die Wünsche der Teilnehmer werden weitgehend die Gestaltung der Abende bestimmen.

1. *Ziel des Seminars:*

Viele von uns finden zu wenig »zu sich selbst«; wir stehen weitgehend unter dem Druck der Gegebenheiten, Ereignisse, Aufgaben, Termine, Arbeiten.

»Zu sich selbst kommen« soll wohl sagen, sich auf sich selbst zu besinnen, sich auf die eigene Mitte hin zu sammeln, auf den Grund des Daseins vorzustoßen, um den Sinn des Lebens zu erfragen.

Wenn uns das fehlt, sind wir in Gefahr, zu sehr von den äußeren Antrieben gesteuert zu werden. Dadurch wird nicht nur unser eigenes Menschsein verkürzt, sondern auch die Beziehungen zu unseren Mitmenschen können gedankenlos, freudlos und lieblos werden.

Das Seminar will Lebenshilfe anbieten durch Anregungen und praktische Übungen, wie wir in der Familie zu Entspannung, Sammlung und Meditation finden können.

Es will auf den »Geschmack« bringen, die Stille zu suchen.

Das Seminar möchte auch das Miteinander-Sprechen in Ehe und Familie einüben.

2. *Mögliche Inhalte:*

1. *Wie finden wir zu Entspannung — Sammlung — Meditation?*

   1. Warum brauchen wir die Stille? — 2. Die Wirkungen der Stille — 3. Wie können wir uns entspannen und sammeln?

2. *Betrachtung eines Tages*

   1. Zur Selbstwerdung gehört, sich selbst kennenzulernen und anzunehmen — 2. Beobachtung des eigenen Verhaltens — 3. Aufarbeitung von Konflikten, Kennenlernen der eigenen Ängste — 4. Selbsterkenntnis erleichtert das Verständnis für andere.

3. *Den Partner meditieren*

   1. Einen Menschen betrachten, um sein Wesen zu erkennen — 2. Wie kann ich den anderen betrachten, den Ehepartner, das Kind?

4. *Das Gespräch in Ehe und Familie*

1. Zuhören können und verstehen wollen — 2. Gefühle des anderen bestätigen (annehmen) — 3. Das Mit-teilen — 4. Bestärken und Vertrauen

5. *Einübung der Stille vor Gott*

1. Übung der Sammlung im Alltag — 2. In der Begegnung mit dem Menschen Gott suchen — 3. Meditation eines Schriftwortes — 4. Von der Stille und vom Wort der Schrift her werden die Wirklichkeiten des Lebens bewußter gesehen

6. *Meditation mit Kindern?*

1. Die Anlagen des Kindes (oder: Die inneren Kräfte des Kindes) — 2. Das Staunen — 3. Musische Anregungen — 4. Kleine Betrachtungen mit Kindern — 5. Kurze abendliche Besinnung

3. *Methodische Vorschläge/Durchführung:*

1. *Einführendes Referat* (15—20 Minuten)

Auf dieses Impulsreferat kann aber auch (z. B. beim Thema 4) durchaus verzichtet werden.

2. *Gruppengespräch*

Anhand von vorbereiteten allgemeinen Fragen, die evtl. anregen, von sich selbst zu sprechen. Die Fragen beziehen sich auf das jeweilige Thema, besonders im Hinblick auf Ehe und Familie. Sie erbitten daher auch Stellungnahmen zu den Übungen, um auch die Aussprache darüber und auch eine Kritik zu ermöglichen. Berichterstattung und Aussprache im großen Kreis.

3. *Praktische Übungen*

Wenn die Teilnehmer dazu bereit sind: Übungen mit kurzen Angaben zur Haltung, Atmung, Entspannung, Sammlung, Hinführung zur Meditation. Am 1. Abend eine Übung, an den weiteren Abenden je 2 Übungen, Dauer ca. 5—20 Minuten (Steigerung nur, wenn die Reaktion positiv ist).

4. *Weitere Möglichkeiten*

Bildmeditation — Tonbild zur Meditationsübung

4. *Material:*

Literatur

Volk, Entspannung — Sammlung — Meditation, Mainz 1970. — *Dessauer*, Naturale Meditation, München 1961. — *Lassalle*, Zen — Weg zur Erleuchtung, Freiburg 1969. — *Lotz*, Meditation im Alltag, Frankfurt 1963. — *Guardini*, Das Gute, das Gewissen, die Sammlung, Mainz 1962. — *Mandel*, Einübung in Partnerschaft durch Kommunikation, München 1971. — *Walter*, Betrachten, Düsseldorf 1966. — *Tilmann*, Die Führung der Kinder zur Meditation, Würzburg 1963. — *Betz*, Die Welt meditieren, München 1966. — *Quoist*, Zwischen Mensch und Gott, Graz 1967. — *Harf/Fuchs*, Meditation im Alltag, Friedberg 1969. — *Splett*, Meditation der Gemeinsamkeit, Freiburg 1972. — *Tilmann*, Hinführung zur Meditation, Einsiedeln 1972.

Tonbilder

Der Mensch zwischen Rätsel und Geheimnis Steyl-München 1971 (30 Min. — 80 Farbdias)

Handreichung für das Schwerpunkt-Seminar: „Erziehung zur Sexualität"

Sexualerziehung zwischen Tabu und Freiheit

1. *Weitere Vorschläge zum Titel des Seminars:*

- Sexualität im Wandel
- Sexualerziehung im Wandel
- Geschlechtserziehung im Gespräch
- Für eine angstfreie Sexualpädagogik
- Erziehung zur Liebesfähigkeit
- Sexualerziehung — eine Aufgabe
- Sexualerziehung heute
- Sexualität — Beunruhigung oder Chance?
- Geschlechtserziehung heute — Wege und Möglichkeiten

Dieser Handreichung liegt folgende Gliederung zugrunde: 1. Aufgabe / Ziel des Seminars — 2. Mögliche Inhalte — 3. Methodische Vorschläge — 4. Material (Literatur, Hilfsmittel)

Sie ist nur im Teil 2 (Inhalte) so aufgebaut, daß daraus eine Unterteilung in 3 oder 4 Seminarabende entnommen werden kann. Die Wünsche und Erwartungen der Teilnehmer sollen so weit wie möglich den Verlauf des Seminars bestimmen.

1. *Ziel des Seminars*

Früher glaubte man, daß ein Kind noch keine geschlechtlichen Gefühle habe. Heute weiß man, daß ein Kind von seiner Geburt an ein sexuelles Wesen ist.

Viele Eltern sind hier verunsichert, andere flüchten sich in dogmatische Vereinfachungen.

Das Seminar soll den Eltern die Möglichkeit geben, über ihre Einstellung zu den Zielen und Wegen der Sexualerziehung in Elternhaus und Schule nachzudenken, um sie gegebenenfalls zu verändern.

Als *Ziele der Sexualerziehung* werden formuliert und in einem Dreierschritt methodisch aufgearbeitet:

1. Annahme der je eigenen Geschlechtsrolle und Bejahung der Sexualität
2. Hinführung zur Liebesfähigkeit und zu verantwortlichem geschlechtlichem Verhalten
3. Rechtzeitig, der jeweiligen Altersstufe angepaßte sachlich-biologische Information (Wissensvermittlung)

In diesen Bereichen empfiehlt sich der methodisch-didaktische Aufbau jeweils nach Entwicklungsphasen (1. Kleinkind und Vorschulalter, 2. Grundschule bis zur Pubertät, 3. Jugendalter).

2. *Mögliche Inhalte*

1. *Ja zur Sexualität*

1. Eine Sexualität zum Lieben — 2. Sex heute — Chance und Gefahr — 3. Integration in das Ganze des Menschen — 4. Sind Gefühle schlecht?

2. *Junge — Mädchen, Mann und Frau*

1. Das Annehmen der eigenen Geschlechtsrolle — 2. Puppen — kein Spielzeug für Buben — 3. Sollen Mädchen studieren? — 4. Die »Rollen« von Mann und Frau

3. *Erziehung zur Liebe*

1. Sexualität — ein Teilbereich der Liebe — 2. Angenommensein — Annehmen können — 3. Entwicklung des Ich — 4. Sexualität im menschlichen Zusammenleben

4. *Erziehung zur Verantwortung*

1. Was ist verantwortliches geschlechtliches Verhalten? — 2. Sexualleben junger Menschen — 3. Es geht nicht ohne Konflikte — 4. Einübung in Partnerschaft

5. *Biologische Information zur Sexualität des Menschen*

1. Bedeutung der rechtzeitigen Wissensvermittlung — 2. Bau und Funktion der Geschlechtsorgane — 3. Eireifung — Menstruation — 4. Schwangerschaft — Geburt — 5. Empfängnisregelung — Familienplanung — 6. Besondere Probleme der Se-

xualität — 7. Sexualkunde in Kindergarten und Schule — 8. Hinweise auf Möglichkeiten der persönlichen Beratung.

An dieser Stelle muß nochmals darauf hingewiesen werden, daß aus diesen thematischen Angeboten *ausgewählt* werden muß. Dies wird sicher nur zu einem kleineren Teil in der Vorbesprechung zwischen den »Verantwortlichen« und dem Seminarleiter möglich sein. Bei günstigem Seminar-Verlauf wird diese Auswahl wesentlich durch die Teilnehmer bestimmt.

3. *Methodische Vorschläge/Durchführung*

1. Abend:

1. Einführung in Ziele und Methoden des Seminars
2. Vorschläge zur inhaltlichen Gestaltung (s. Punkt 2)
3. Impulsreferat (bis zu ca. 20 Min.) zum Thema »Ja zur Sexualität« (2.1)
4. Gruppengespräche mit vorbereiteten Fragen und Problemstellungen
5. Berichterstattung und Aussprache im Plenum
6. Kurzreferat und Besprechung des weiteren Seminarverlaufs

2. Abend:

1. Kurze Einführung (methodisch und inhaltlich)
2. Problemfilm PHOEBE — 28 Minuten
3. Arbeitsgruppen zu vorbereiteten Fragestellungen
4. Berichterstattung und Aussprache im Plenum
5. Stellungnahme des Seminarleiters (Kurzreferat ca. 15 Min.) (Vorschläge und Besprechung des 3. Abends)

3. Abend:

1. Kurze Einführung (methodisch)
2. Film oder Tonbild (Auswahl unter 4. Material)
3. Aussprache im Plenum (evtl. zuerst Arbeitsgruppen)
4. Abschluß und Hinweise auf weitere Bildungs- oder Beratungsmöglichkeiten.

4. *Material* (siehe Erziehungs-Seminar S. 87)

Themenvorschläge für Familiengruppen und Familienkreise

1. Ehe und Partnerschaft

1. Kann man Partnerschaft lernen?
2. »Wünsche äußern lernen«
3. »Streiten lernen«
4. Sich kennenlernen, um sich besser zu verstehen!
5. Mit Konflikten leben
6. Auf dem Weg zur Partnerschaft
7. Das Gespräch in der Ehe
8. Ist das Gespräch Basis der Ehe?
9. Teilnehmen – teilhaben
10. Zur Psychologie von Mann und Frau
    – sind sie wirklich so verschieden –
11. Die Emanzipation der Frau (und des Mannes?)
12. Die Frau zwischen Tradition und Fortschritt
13. Ehe – Instrument der Unterdrückung?
14. Der Mann im Haushalt
15. Ehekrisen wegen Überarbeitung
16. Die »Doppelrolle« (?) der Frau
17. Sexualität als Partnerschaft
18. Sex – ein Zauberwort
19. Sexualität als Partnerschaft
20. Familien- und Geburtenplanung
21. »Das vernachlässigte Bett«
22. Was bedeutet: Sakrament der Ehe?
23. Gibt es eine zeitgemäße Spiritualität der Ehe?
24. Die Unauflöslichkeit der Ehe
25. Sakramente – auch für Geschiedene?
26. Die »neue Moral«
27. Liebe vor der Ehe
28. Erziehung auf die Ehe hin
29. Mischehen – Stiefkinder der Kirchen

30. Die Zukunft der Ehe
31. Zuerst Ehe – dann Familie
32. Ist die Ehe überholt?
33. Ehe im Wandel
34. Das neue Bild der Ehe
35. Ehe auf dem Prüfstand
36. Die Ehe – eine Herausforderung
37. Das Spannungsfeld Ehe und Familie
38. Die Ehe in der Welt von heute
39. Großfamilie auch für Christen?
40. Neue Formen der Ehe

2. Erziehung

1. Erziehung in der Krise?
2. Autorität heute
3. Antiautoritäre Erziehung
4. »Kinderläden«
5. Partnerschaft in der Erziehung
6. Für und wider den Gehorsam
7. Unsere Kinder brauchen uns
8. Freude ist das beste Erziehungsmittel
9. Lob und Tadel
10. Ordnung ist des Bürgers erste Pflicht
11. Wann beginnt die Erziehung?
12. Spaß mit Spielen
13. Richtiges Spielzeug
14. Was lesen unsere Kinder?
15. Fernsehen will gelernt sein
16. Kinder vor dem Bildschirm
17. Das nervöse Kind
18. Der Umgang des Kindes mit Geld
19. Die musische Bildung unserer Kinder
20. Das Trotzalter und sein Sinn
21. Müssen Kinder Sorgen machen
22. Erziehung durch Brauchtum
23. Unsere Kinder sollen es besser haben
24. Vom Märchen zur Wirklichkeit
25. Erzieher gefragt – Umgang mit Massenmedien
26. Kinder spielen sich ins Leben

27. Wieviel Liebe braucht ein Kind?
28. Der Familienrat
29. Demokratie in der Familie
30. Sollen Kinder heute noch Dialekt sprechen?
31. Wir veranstalten ein Kinderfest
32. Der »Sonntagsspaziergang« – Freizeit in der Familie
33. Wir »zerlegen« eine Elternzeitschrift
34. Vater oder Pascha?
35. Kindergarten – Vorschule
36. Die wichtigsten Stufen der kindlichen Entwicklung
37. Haben die Eltern in der Schule etwas zu sagen?
38. Vorschulerziehung im Widerstreit
39. Was will eigentlich die Vorschule?
40. Lernschwierigkeiten der Kinder
41. Weiterführende Schulen
42. Lernen oder schnell verdienen
43. Soll unser Mädchen studieren?
44. Zensuren in der Schule
45. Hausaufgaben
46. Schularbeiten
47. Revoltierende Jugend
48. Was will der Jugendschutz (Aufgaben und Ziele)
49. »Rauschgift vor jeder Tür«
50. Problem Rausgift
51. Erziehung zur Ehe
52. Jugend in der Glaubenskrise
53. Enttäuschte Jugend – enttäuschte Eltern
54. Der Aufstand der Jugend
55. Kinder werden Mann und Frau
56. Die Jugend sucht einen neuen Lebensstil
57. Berufswahl der Kinder
58. Das Leben mit 14 – wie denken unsere Heranwachsenden
59. Mit 17 heiraten – das Problem der Frühehen
60. Das Selbstverständnis der Jugend heute
61. Die Krise des Religionsunterrichts
62. Religiöse Unterweisung in der Pfarrgemeinde
63. Gewissensbildung
64. Religiös erziehen – ein Problem?
65. Kindergebetbücher und Kinderbibeln

3. Familie und Gesellschaft

1. Familie im Umbruch
2. Die Kleinfamilie
3. Die Familie als Ort der Geborgenheit
4. Das Generationen-Problem
5. Der alternde Mensch und seine Familie
6. Das Zusammenleben mit den Eltern
7. Familie und soziale Einrichtungen
8. Beruf »Hausfrau«
9. Die Frau in der Politik
10. Die Frau im Beruf und zu Hause
11. Alleinerziehende Mütter
12. Was werden unsere Kinder lernen
    — Der neue Bildungsplan —
13. Zusammenarbeit Elternhaus — Schule
14. Die »liebe« Nachbarschaft
15. Was machen wir mit unserer Freizeit
16. Warum das liebe Geld nicht langt
17. Haushaltsführung
18. Die Familie als »Konsument«
    — Verbrauchergewohnheiten —
19. Die wirtschaftliche Absicherung der Familie
20. Wie können sich die Familien gegenseitig helfen?
21. Schöner wohnen — Über die Gemütlichkeit
22. Familienerholung — nur für »Auserwählte«?
23. Wohnungsbau — eine Sackgasse?
24. Verdirbt Politik den Charakter?
25. Das behinderte Kind in der Familie
26. Wie hilft der Staat den Familien?
27. Schwangerschaftsabbruch — Abtreibung — Tötung?
28. Pornographie
29. Ehescheidungsreform
30. Geschieden — gemieden
31. Leistung — groß geschrieben
32. Der Einfluß der Arbeitswelt auf die Familie
33. Nachbarschaft und die mobile Gesellschaft
34. Kontakte zum Anderen — was steht im Wege?
35. Konsumverhalten
    — Zwischen Entscheidung und Manipulation —

36. Die Familie in der Freizeit-Gesellschaft
37. Familienlastenausgleich
38. Familienwohnungsbau – Städteplanung
39. Familie und Gesundheit
40. Ist unsere Gesellschaft kinderfreundlich?
41. Alt und jung in der Familie
42. Es muß nicht immer Teneriffa sein
    – Überlegung zu Freizeit und Urlaub –
43. Beratungsstellen – nur für »schlimme Fälle«?
44. Gibt es ein Recht auf Abtreibung?
    – Eine Frage nach dem Schutz des menschlichen Lebens –
45. Ist die Familie die Keimzelle der Gesellschaft?

4. Glaube und religiöses Leben

1. Glaubensinformation durch den Holländischen Katechismus
2. Wandlung im Glaubensverständnis
3. Dogma – ein Gefängnis?
4. Die »neue Moral« – Wandlungen im Moralverständnis
5. Die Hl. Schrift – ein Buch mit sieben Siegeln
6. Die Frage nach Jesus im gewandelten Schriftverständnis
7. Wandlung im Sakramentenverständnis
8. Über den eigenen Glauben sprechen lernen
9. »Zum Glauben braucht man Freunde«
10. Ist das Leben ohne Glauben sinnlos?
11. Zur Lage der Theologie
12. Was ist eigentlich »Erlösung«?
13. Theologische Begriffe – unter die Lupe genommen!
14. Über die »Mündigkeit«
15. Ein Glaube – viele Kirchen
16. Bildungsarbeit als moderne Form des Evangeliums
17. Wer ist das – Jesus Christus?
18. Gewissensbildung und Gewissensentwicklung
19. Was ist Gewissen?
20. Die Sache mit dem »lieben Gott«
    – Religiöse Erziehung unserer Kinder –
21. Exerzitien – ein alter Zopf oder Kraft aus der Stille?
22. Möglichkeiten der Lebensorientierung
23. Ist nach dem Tode alles aus?
24. Die Psalmen – Gebete für unsere Zeit?

25. Religiöse Chansons – (Ein Liederabend)
26. Fromm = Dumm?
27. Marienverehrung am Ende?
28. Ist die Bibel frauenfeindlich?
29. Die evangelischen Räte – Provokation der Welt?
30. Die Zukunft wagen (Über das christliche Prinzip der Hoffnung)

5. Kirche im Wandel

1. Auf der Suche nach einer »neuen Kirche«
2. Kirche als Volk Gottes unterwegs
3. Demokratie in der Kirche
4. Die Tradition der Kirche
5. Kirche der Sünder
6. Wie steht die Kirche zu Staat und Gesellschaft?
7. Kann die Kirche die Welt verändern?
8. Wahlrecht für das Gottesvolk?
9. Revolution in der Kirche?
10. Kirchliches Amt im Umbruch
11. Warum sind wir noch in der Kirche?
12. Synoden 72 – ohne mich!
13. »Unruhe unerwünscht« (Die Umfrage zur Synode)
14. Erleben wir unsere Pfarrei als Gemeinschaft?
15. Pfarrfamilie – was halten Sie davon?
16. Von der Pfarrei zur Gemeinde
17. Pfarrgemeinderat – Experiment ohne Zukunft?
18. Die Familie in der Gemeinde
19. Unser Verhältnis zur Buße
20. Beichte und Bußgottesdienst – eine »Konkurrenz«?
21. Erstkommunion und Beichte für unsere Kinder – in welchem Alter?
22. Die Gestalt unserer Gottesdienste (Kinder- und Familiengottesdienste)
23. Gottesdienst – ein Experimentierfeld?
24. Hat die Kirchenmusik noch Zukunft?
25. Was hat uns die Liturgiereform gebracht?
26. Ökumene – Schlagwort oder Testfall
27. Das Gespenst der »dritten Konfession«

6. Der Mensch in der Gesellschaft

1. Wir üben uns in der Diskussion
2. Verständigung durch Gespräche
3. Gesundheit und Lebensrhythmus
4. Der kranke Mensch — Über Neurosen und Psychosen —
5. Arbeit macht krank — Freizeit auch?
   (Die Bewältigung unserer Arbeits- und Freizeitbedingungen)
6. »Erfolgsmethoden« — Sich selbst rationalisieren —
7. Lernen — ein Leben lang?
8. Der Umgang mit Büchern
9. Helfen wollen — sich helfen lassen
10. Freiwillige Dienste am Nächsten
11. Der alte Mensch
12. Mission — Entwicklungshilfe
13. Die Verhaltensforschung
14. Beruf oder Job
15. Christsein im Beruf
16. Ist der Beruf »fürs ganze Leben«? — Über die Mobilität —
17. »Christliche Parteien« heute
18. Christ und Ostpolitik
19. Was geht uns das Rathaus an?
20. Lohn-Preisspirale
21. Wofür zahlen wir Steuern?
22. Eigentumsbildung
23. »Leistung, Leistung über alles«
24. Gastarbeiter — »unsere Neger«
25. Der Strafgefangene — Sündenbock seiner Mitmenschen —
26. »25 Milliarden für unsere Verteidigung«
27. Kriegsdienst und Kriegsdienstverweigerung
28. Christ und Sozialismus
29. Das »linke« Gesellschaftsmodell
30. »Die Stadt kommt ins Dorf«.

7. Möglichkeiten für sonstige Veranstaltungen

Bastelnachmittag mit Kindern / Faschingsball oder Party / Familienausflug / Gemütlicher Nachmittag mit Kaffee und Kuchen / Spielabend (Gesellschaftsspiele) / Adventfeier / Besinnungstag/Einkehrtag / Familienbildungstag / Wortgottesdienst / Eucharistiefeier der Eltern (oder mit den Kindern am Nachmittag) / Hausmesse.

Literaturhinweise

1. *Lederer/Jackson*, Ehe als Lernprozeß, München 1972. — *Bäuerle*, Theorie der Elternbildung, Berlin/Basel 1971. — *Hardegger* (Hrsg.), Handbuch der Elternbildung (Bd. 1 u. 2), Einsiedeln 1966. — *Hauser*, Das Gruppengespräch in der Gemeinde, Limburg 1970. — *Brocher*, Gruppendynamik und Erwachsenenbildung, Braunschweig 1967. — *Zöchbauer*, Verkündigung im Zeitalter der Massenmedien, München 1969. A

Arbeitsmappe EHE + FAMILIE bearbeitet von Valentin Eglauer (mit vielen Anregungen für Familiengruppen und -kreise) Hrsg. Internationales Kolpingwerk Köln 1970. — *Sauer*, »Wege kirchlicher Elternbildung« (mit ausführlicher Darstellung der Arbeitsmöglichkeiten von Familiengruppen und -kreisen), Freiburg 1970. — *Kelber*, Fibel der Gesprächsführung (mit besonderer Berücksichtigung des Gruppengesprächs), Opladen 1970. — *Perle*, Arbeiten im Team (über das Zusammenarbeiten in Gruppen), Tübingen 1969. — *Arbeiten mit Gruppen* (Social group work) — Eine kurze Information über Gruppen-Prozesse, Düsseldorf, 1967. — *Tietgens*, Lernen mit Erwachsenen, Von den Arbeitsweisen der Erwachsenenbildung, Braunschweig 1967. — *Hauser*, Das Gruppengespräch in der Gemeinde. Über die Methodik des Gruppengesprächs mit Modellen, Limburg 1970.

2. *Betz*, Neue Kreise, — Anregung und Arbeitsmaterial für Familiengruppen — München 1966. — *Sonderheft über Familiengruppen* der Zeitschrift »Lebendige Seelsorge«, Heft 6/69, Seelsorge-Verlag, Freiburg. — *Familiengruppen* Broschüre des Familienbundes der Deutschen Katholiken 8000 München 15, Pettenkoferstraße 8.

3. Siehe Literaturhinweise i. d. Handreichungen im Anhang (S. 72—101)

1. *Schmidt (Hrsg.)*, Zum Gottesdienst morgen, München 1969. — *DKV (Hrsg.)*, . . . nicht nur für den Gottesdienst, Kevelaer 1971. — *Obendiek*, Vergessene Reformen, Wuppertal 1971. — *Zinke (Hrsg.)*, Gottesdienst — Gemeinschaftsfeier, München 1970. — *Zinke (Hrsg.)*, Gemeinde vor Gott, München 1971. — *Sauer*, Kinder loben Gott, München 1969. B

2. Für die Eltern und Katecheten:

Leist, Neue Wege der religiösen Erziehung, München 1971. — *König*, Wie helfen wir unseren Kindern zum Glauben, Düsseldorf 1970. — Glaubensverkündigung für Erwachsene (Holl. Katechismus), Freiburg 1968. — *Magiera*, Sakrament Brot, Kevelaer 1970. — *Weber*, Miteinander eins werden — Ein Eucharistiebuch, Freiburg 1971.

Bartels/Steinwede/Ziegler, Werkbuch Biblische Geschichte Bd. 1, München 1971. — *Mertens*, Handbuch der Bibelkunde, Düsseldorf 1966. — Kleines Stuttgarter Bibel-Lexikon, Stuttgart 1969. — *Handbuch theologischer Grundbegriffe*, München 1970. — *Gruber*, Arbeitshilfen für die Vorbereitung der Erstkommunion, München 1969. — *Große/Jäger*, Eucharistiefeier für Kinder, Düsseldorf 1969. — *Die Botschaft Jesu im Isolotto*, Mainz 1969. — *Betz*, Die Zumutung des Glaubens, München 1969. — *Haag*, Kleines Bibellexikon Freiburg 1971. — *Schneider*, Gewandeltes Eucharistieverhältnis, Theologische Meditationen 24, Köln 1970. — *König/Klöckner*, Jesus ruft uns. Ein Vorbereitungskurs zur Erstkommunion (Werkmappe), München 1972.

3. *Glaubensgespräche mit Brautleuten*, Pastorale Handreichungen nach dem französischen Modell, Frankfurt/Main 1971. — *Jákli (Hrsg.)*, Methoden in der Ehevorbereitung, Düsseldorf 1970. — *Themen zur Ehevorbereitung*, in: Lebendige Seelsorge, Heft 6, November 1971. — *Gießler*, Für eine glückliche Liebe, Landesstelle d. Kath. Jugend Bayerns, 8 München 15, Adolf-Kolping-Straße 1.

4. Tonbild »*Taufgespräch*« (mit Handreichung), 36 Farbdias, 20 Minuten Laufzeit, Broschüre mit praktischen Anregungen zu bestellen bei: Impuls-Studio GmbH, 8 München 83, Ottweiler Straße 6. — *Jorissen/Meyer*, Die Taufe der Kinder, Innsbruck/Wien/München/Würzburg 1972. — *Gerbé* u. a., Zulassung zur Taufe, Wien 1969. — *Molinski (Hrsg.)*, Diskussion um die Taufe, München 1971.

5. *Aktuelle Akzente der Familienpastoral* in: Lebendige Seelsorge, Heft 5, September 1972. Institut für Ehe- und Familienwissenschaft, Zürich: *Situation und Bedürfnisse der Ehe- und Familienpastoral* in der Diözese Chur, Arbeitsbericht, Ergebnisse, Folgerungen einer im Auftrag des Seelsorgerates durchgeführten Umfrage. — *David/Höflich*, Christliche Ehe ohne Zukunft? Düsseldorf 1969. — Sammelband: *Die Ehe*, Freiburg 1969. — Sammelband: *Die Mischehe in ökumenischer Sicht*, Freiburg 1968. — *Christliche Einheit in der Ehe*, Mainz, München 1969. — *Lengsfeld*, Das Problem Mischehe, Freiburg 1970. — *Will*, Wir leben in Mischehe, München 1969. — Sammelband: Zum Thema Ehescheidung, Stuttgart 1970.

C

1. *Reichmann*, Familie in Not, Freiburg 1971. — *Werkbuch der Caritas, Deutscher Caritasverband e. V.*, Freiburg 1968.

2. *Struck/Loeffler (Hrsg.)*, Einführung in die Eheberatung, Mainz 1971. — *Struck (Hrsg.)*, Familienkonflikte und Familienberatung, Kevelaer 1970. — *Struck (Hrsg.)*, Diagnose und Prognose der Ehe, Kevelaer 1970.

D

Wingen, Familienpolitik, Paderborn 1964. — *Wingen*, Familienpolitik vor neuen Aufgaben, Mannheim 1969. — *Familienpolitik im Gespräch*, Bundesministerium für Jugend, Familie und Gesundheit, Bonn/Bad Godesberg 1972. — *Probleme, Aufgaben, Ziele*, Bundesministerium für Jugend, Familie und Gesundheit, Bonn/Bad Godesberg 1971.

Verzeichnis der Landes- und Diözesanbildstellen

Filme und Tonbilder sind in großer Auswahl bei den hier angeführten Landes- und Diözesanbildstellen zu erhalten; dort bekommt man auch Auskunft über weitere Bildstellen, die in vielen Städten, auch in kleineren Orten, eingerichtet sind.

Baden-Württemberg

Landesbildstelle Baden
7500 Karlsruhe, Sofienstraße 39/41, Telefon 07 21/2 57 37

Landesbildstelle Württemberg
7000 Stuttgart O, Landhausstraße 70, Telefon 07 11/43 28 41

Bild- und Filmstelle der Erzdiözese Freiburg
7800 Freiburg/Br., Wintererstraße 6, Telefon 07 61/3 10 85

Diözesanstelle Film-Bild-Ton
7407 Rottenburg, Karmeliterstraße 9, Telefon 0 74 72/3 73

Bayern

Staatliche Landesbildstelle Nordbayern
8580 Bayreuth, Josephsplatz 8, Telefon 09 21/6 54 24

Staatliche Landesbildstelle Südbayern
8000 München 8, Prinzregentenstraße 12, Telefon 08 11/47 20 55

Landesfilmdienst Bayern
8000 München 23, Leopoldstraße 59, Telefon 08 11/39 45 47

Diözesanfilmstelle Augsburg
8900 Augsburg, Peutingerstraße 5, Telefon 08 21/2 01 64

Referat AV Medien im katechetischen Amt
8000 München 70, Dauthendeystr. 25, Telefon 08 11/71 28 46/47

Diözesanfilmstelle Würzburg
8700 Würzburg, Herrnstraße 6, Telefon 09 31/5 09 22

Berlin

Landesbildstelle Berlin
1000 Berlin 21, Wikingerufer 7, Telefon 03 11/39 81 21

AV-Zentrale des Bistums Berlin
1000 Berlin 19, Wundtstraße 50, Telefon 03 11/3 06 20 61

Bremen

Landesbildstelle Bremen
2800 Bremen, Uhlandstraße 53, Telefon 04 21/44 92 34 66

Hamburg
Staatliche Landesbildstelle Hamburg
2000 Hamburg 54, Kieler Straße 171, Telefon 04 11/54 44 81

Hessen
Staatliche Landesbildstelle Hessen
6000 Frankfurt am Main, Gutleutstr. 8-12, Telefon 06 11/25 10 24
Katholisches Filmwerk
6000 Frankfurt am Main, Kaiserstraße 67, Telefon 06 11/23 35 26

Niedersachsen
Niedersächsisches Landesverwaltungsamt — Landesbildstelle
3000 Hannover 1, Gellertstraße 20, Telefon 05 11/81 55 70

Nordrhein-Westfalen
Landesbildstelle Rheinland
4000 Düsseldorf 10, Prinz-Georg-Str. 80, Telefon 02 11/44 82 87
Landschaftsverband Westfalen-Lippe — Landesbildstelle
4400 Münster, Fürstenbergstraße 10, Telefon 02 51/5 91 39 01
Diözesanfilmstelle Köln
5000 Köln, Zeughausstraße 13, Telefon 02 21/24 29 92
Landeszentrale für politische Bildung
4000 Düsseldorf, Neanderstraße 6, Telefon 02 11/67 60 77

Rheinland-Pfalz
Landesbildstelle Rheinland-Pfalz
5400 Koblenz-Ehrenbreitstein, Hofstr. 257, Telefon 02 61/6 13 91
Landesfilmdienst Rheinland-Pfalz
6500 Mainz, Deutschhausplatz, Telefon 0 61 31/2 99 33

Saarland
Landeszentrale für politische Bildung und techn. Unterrichtsmittel
6600 Saarbrücken 3, Am Staden 27, Telefon 06 81/6 23 43

Schleswig-Holstein
Landesbildstelle Schleswig-Holstein
2300 Kiel, Schloß, Telefon 04 31/5 17 05

Österreich
Bundesstaatliche Hauptstelle für Lichtbild und Bildungsfilm
A-1090 Wien, Sensengasse 1-3
Diözesanstelle für Film, Funk und Fernsehen
A-5020 Salzburg, Kapitelplatz 6

Schweiz
Schulfilmzentrale Bern
CH-3000 Bern 9, Erlachstraße 21